D0534112

le zodiaque,
clé de l'homme
et de l'univers

Omraam Mikhaël Aïvanhov

le zodiaque, clé de l'homme et de l'univers

3e édition

Collection Izvor
N° 220

EDITIONS PROSVETA

Du même auteur :

Collection Izvor

Prosveta S.A. – B.P.12 – 83601 Fréjus Cedex (France)

ISBN 2-85566-320-2

Le lecteur comprendra mieux certains aspects des textes du Maître Omraam Mikhaël Aïvanhov présentés dans ce volume s'il veut bien ne pas perdre de vue qu'il s'agit d'un Enseignement strictement oral.

I

L'ENCEINTE DU ZODIAQUE

La Science initiatique enseigne que nous vivons plongés dans un océan fluidique qu'elle a appelé la lumière astrale. Ce fluide est tellement sensible que tout s'inscrit en lui : la plus insignifiante de nos actions, la plus légère de nos émotions, la plus fugitive de nos pensées. D'après la tradition ésotérique, cette lumière astrale est une matière d'une extrême subtilité que dégagent toutes les créatures, les humains, les animaux, les plantes, les pierres et même les étoiles. C'est ce fluide qu'Hermès Trismégiste a appelé Télesma et dont il a dit : «Le soleil est son père, la lune est sa mère, le vent l'a transporté dans son ventre et la terre est sa nourrice.» Evidemment, il ne faut pas comprendre le soleil (le feu), la lune (l'eau), le vent (l'air) et la terre uniquement comme les quatre éléments matériels que nous connaissons, mais comme les principes cosmiques fondamentaux à partir desquels s'est constituée la matière.

Les hindous, eux, appellent cette matière fluidique akasha. Mais en réalité, peu importe les noms qu'on lui donne : électricité cosmique, serpent originel, force Fohat... Comme chaque créature qui pense, sent et agit, lui imprime des vibrations nouvelles, il est impossible de déterminer et de nommer toutes les formes qui sont les siennes depuis la création du monde. Sa nature est extrêmement mystérieuse, et tout ce qui peut être dit à son sujet est à la fois vrai et faux. Cet akasha a donc la propriété d'enregistrer tout ce qui se passe dans l'univers. Et d'ailleurs la preuve que tout s'enregistre, c'est que les clairvoyants peuvent lire sur un objet les événements qui se sont déroulés autour de lui, et même la destinée d'une personne qui a eu cet objet entre les mains pendant une ou deux minutes. Je parle évidemment des véritables clairvoyants. L'existence de cette clairvoyance est un argument extraordinaire : si les savants matérialistes en tenaient compte, ils seraient obligés de modifier leurs points de vue sur la nature de la matière.

Ce fluide, cet akasha où tout s'imprime, où tout se réfléchit, s'étend jusqu'aux confins de l'univers, représenté pour nous par les limites du zodiaque, car le cercle du zodiaque représente symboliquement l'espace que Dieu a délimité pour créer le monde. D'ailleurs, d'après la

Science initiatique, la succession des douze signes du zodiaque (Bélier ♈ – Taureau ♉ – Gémeaux ♊ – Cancer ♋ – Lion ♌ – Vierge ♍ – Balance ♎ – Scorpion ♏ – Sagittaire ♐ – Capricorne ♑ – Verseau ♒ – Poissons ♓) révèle les différentes étapes de la création.

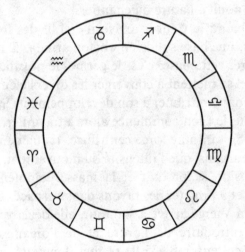

Le Bélier donne l'impulsion, c'est la force indomptable qui jaillit et veut se manifester à tout prix, comme les bourgeons au printemps. A cette force brute, le Taureau apporte la matière, mais cette matière n'est pas encore organisée, elle n'est qu'une masse informe d'éléments indifférenciés. Quand vous voyez un chantier en préparation pour la construction d'une maison, c'est l'étape du Taureau. Mais avec ces éléments il faut réaliser quelque chose. C'est pourquoi les Gémeaux commencent à établir un réseau de communications pour que le travail puisse se faire : ce sont les échelles, les brouettes, les poulies, les grues qui transporteront les matériaux d'un point à l'autre du chantier.

Quand le Cancer arrive il établit des fondations, une base solide en «béton armé». Dans la nature, cette base, c'est le germe, le noyau, vers lequel se mettent à converger les divers éléments qui vont contribuer à son développement. Sur ce noyau, le Lion commence alors à travailler, en y introduisant une force centrifuge. Il augmente la chaleur ainsi que l'intensité du mouvement. Une explosion se produit et la masse commence à luire et à projeter des rayons dans l'espace. Lorsque la Vierge arrive à son tour, elle déclare qu'il faut introduire de l'ordre et de l'organisation dans cet ensemble. Elle se met donc au travail, et chaque chose est mise à sa place. Mais l'ordre est insuffisant, il manque un élément d'esthétique, d'harmonie, et la Balance apporte cet élément. C'est le septième jour (le septième signe) et le travail s'arrête un peu pour que les ouvriers puissent se reposer et se divertir.

Dans ce climat de réjouissances, certains ouvriers se mettent à oublier le travail et se laissent aller à la paresse, à la mollesse. C'est ainsi que des éléments de désagrégation commencent à s'introduire : le Scorpion, et voilà des troubles, des hostilités. C'est alors l'heure du Sagittaire qui possède le don de réconcilier les êtres entre eux et de les lier au Ciel. Quand il arrive, il canalise ce trop-plein d'énergies bouillonnantes pour les orienter (l'arc et la flèche que tient le Centaure) et les faire servir à une activité supérieure. Maintenant, ce monde bien ordonné dont les rouages fonctionnent parfaitement a tendance à se cristalliser, à se figer sous l'influence du Capricorne, et la vie commence à le quitter. Alors, pour qu'il ne soit pas détruit à force de se matérialiser, le Verseau met en action les courants puissants de l'esprit. Quand arrivent les Poissons, ils projettent la paix sur le monde. Dans cette paix et cette harmonie universelles, la vie devient pure, subtile, jusqu'à ce que tout se fonde et retourne vers l'Océan des origines.

Tous ceux qui pénètrent dans l'enceinte du zodiaque sont soumis aux impératifs du temps (périodes, cycles) et de l'espace (localisation à l'intérieur de l'enceinte). Seuls les purs esprits sont libres, ils ne sont pas enchaînés par le temps et l'espace. Mais dès qu'ils s'incarnent, ils entrent dans l'enceinte du zodiaque et ils sont

pris dans le cercle magique de l'implacable destinée qui enchaîne même les êtres les plus lumineux, les grands Fils de Dieu.

D'ailleurs, avec son corps physique l'être
humain représente lui-même le cercle du zodiaque à l'intérieur duquel son esprit est maintenu
captif. A chaque signe correspond une partie du
corps :

au Bélier ♈ : la tête
au Taureau ♉ : le cou
aux Gémeaux ♊ : les bras – les poumons
au Cancer ♋ : l'estomac
au Lion ♌ : le cœur
à la Vierge ♍ : les intestins et le plexus
                            solaire
à la Balance ♎ : les reins
au Scorpion ♏ : les organes génitaux
au Sagittaire ♐ : les cuisses
au Capricorne ♑ : les genoux
au Verseau ♒ : les mollets
aux Poissons ♓ : les pieds.

Pour échapper à ce Serpent qui l'enserre de ses
anneaux, l'homme doit sortir du cycle des réin-
carnations.

C'est au moment de la naissance que le corps
éthérique de l'enfant qui est encore comme une
cire molle et vierge, reçoit l'empreinte des
influences astrales. Par la suite, la cire refroidie
ne peut plus être modifiée. Lorsque l'enfant

pousse son premier cri, le ciel appose son sceau sur son corps éthérique et fixe son horoscope dans lequel s'inscrit son destin. Le seul moyen pour l'homme de se libérer des limitations que lui imposent les astres est de travailler à rétablir consciemment le lien avec Dieu, c'est ainsi qu'il échappe à la loi de nécessité pour entrer sous la loi de la grâce. Mais cette liberté à laquelle nous aspirons tous est la dernière chose que nous obtiendrons. C'est pourquoi la liberté est considérée comme la couronne de la spiritualité ; cette couronne est un cercle de lumière que l'Initié porte au-dessus de la tête pour montrer qu'il est sorti du cercle des limitations terrestres.

Etudions maintenant les conséquences pratiques pour notre vie quotidienne de l'existence du cercle zodiacal. Supposons qu'en vous promenant dans la montagne vous vous amusiez à lancer un mot, un appel, que se passe-t-il? La montagne vous le renvoie. Le son, la parole, se sont heurtés à un obstacle qui les a répercutés. C'est exactement comme lorsque vous jetez une balle sur le sol : elle rebondit... ou contre un mur : elle revient vous frapper. Ce sont des lois physiques, et les lois physiques sont un reflet des lois spirituelles. Donc, si vous criez : «Je vous aime», de tous les côtés l'écho revient vous dire : «Je vous aime, je vous aime, je vous aime.» Et si

vous criez : «Je vous déteste», de toutes parts
l'écho vous répète : «Je vous déteste, je vous
déteste...»

Vous devez comprendre que dans la vie la
même chose ne cesse de se répéter : sans arrêt,
par ses pensées, ses sentiments, ses actes, l'homme émet des ondes bénéfiques ou maléfiques ;
ces ondes voyagent dans l'espace jusqu'au
moment où elles rencontrent la paroi qui les
renvoie vers lui, et il reçoit des cadeaux ou des
coups de bâton. Eh oui, choc en retour. Ceux
qui connaissent cette loi s'efforcent d'envoyer
partout la lumière, l'amour, la bonté, la pureté,
la chaleur, et un jour ou l'autre ils reçoivent
obligatoirement en retour les mêmes bénédictions : ils se sentent heureux, épanouis, ils rem-
portent des succès. Ils se disent : «C'est le Bon
Dieu qui m'a récompensé !» Pas du tout, le Seigneur n'est même pas au courant, Il a autre chose à faire qu'à nous observer sans arrêt et à noter
toutes nos actions pour nous récompenser ou
nous punir. Il a établi des lois en nous et au-
dehors de nous, et ce sont ces lois-là qui nous
punissent ou nous récompensent.

Le cercle avec un point central ⊙, telle est la
structure que l'on retrouve partout dans l'univers. Prenez n'importe quel organisme, une cellule par exemple : vous voyez un noyau, un pro-
toplasme, et tout autour une pellicule, la mem-

brane. Prenez un fruit : au centre, vous trouvez le noyau, puis la pulpe, la chair juteuse qu'on mange, et enfin la peau ou l'écorce. Donc, tout organisme vivant a un centre, puis un espace où la vie circule, et enfin, une «peau» qui sert de frontière, de limite, grâce à laquelle la loi de l'écho peut jouer.

Maintenant, il se peut que, la distance du centre à la périphérie étant très grande, la «voix» aille très, très loin, que ce soit seulement des années après qu'elle rencontre la paroi qui la renverra. Mais ce n'est pas parce que le choc en retour se fait attendre qu'il ne se produira rien ; si, il se produira toujours, mais plus tard, peut-être dans une autre incarnation, parce que la frontière (ou encore la périphérie, la paroi) est très éloignée. Et c'est ainsi que s'explique la destinée inscrite dans notre thème astral : elle est la conséquence de nos actions passées.

L'atome et le système solaire possèdent une structure identique : un cercle avec un point central. Et l'espace qui entoure ce point représente la matière ; sans espace, la matière n'existerait pas. Tandis que l'esprit, lui, n'a pas besoin d'espace ; sa puissance tient à ce qu'étant un point infime, il agit partout à la fois. C'est donc aux bornes de cet espace occupé par la matière que tout vient se heurter, puis s'en retourne vers son point de départ. Ainsi, à travers la matière, tout ce que nous faisons, tout ce que nous pensons revient vers nous après avoir parcouru l'espace. C'est la matière qui renvoie l'écho, ce n'est pas l'esprit. L'esprit agit et la matière réagit, elle répond à l'impulsion. C'est son rôle de faire face à l'esprit, de s'opposer à lui, de le limiter, de l'emprisonner même. Et le zodiaque est cette limite qui enserre notre univers comme le serpent de la matière enserre l'esprit.

II

LA FORMATION DE L'HOMME
ET LE ZODIAQUE

La formation de l'homme s'est déroulée parallèlement à celle de l'univers. A l'origine, l'être humain représentait une simple sphère fluidique. Il n'avait ni poumons, ni estomac, ni membres, mais seulement une tête qui se déplaçait comme une méduse dans un océan de feu. Lorsqu'une partie de ce feu s'est condensée pour produire l'air, les poumons se sont formés. Plus tard, une partie de l'air s'est condensée pour produire l'eau, et l'estomac, le ventre, les intestins se sont formés. Enfin, une partie de l'eau s'est condensée pour produire la terre, et les jambes, les bras se sont formés.

Mais ces quatre éléments qui constituaient la substance de l'homme et de l'univers n'étaient pas les éléments matériels que nous connaissons ; ils étaient de nature éthérique, subtile, et l'homme ainsi formé n'existait pas encore dans le plan physique. L'homme n'a commencé à se matérialiser que lorsque ses pieds ont été formés, et ce sont les pieds justement qui se sont matérialisés les premiers, puis les jambes, les cuisses, les organes génitaux, le plexus solaire, l'estomac... et ainsi de suite jusqu'à la tête. La tête s'est matérialisée la dernière bien qu'elle se soit formée la première ; et les pieds qui s'étaient formés les derniers se sont matérialisés les premiers. Ces deux courants involutif (l'apparition des organes dans l'ordre : tête, poumons, etc.) et évolutif (leur matérialisation dans l'ordre inverse), on les retrouve dans le zodiaque.

Lorsque vous énumérez les signes du zodiaque en commençant dans l'ordre : Bélier, Taureau, Gémeaux, Cancer, etc... vous suivez le mouvement involutif. C'est ainsi que l'homme s'est formé, en commençant par la tête. Et le Bélier justement, c'est la tête, puisque nous l'avons vu, chaque signe du zodiaque correspond à une partie du corps humain. Tandis que le point vernal* remonte le zodiaque en sens inverse, dans l'ordre : Poissons, Verseau, Capricorne, Sagittaire, Scorpion, etc... Son trajet correspond au mouvement évolutif ; il suit l'ordre

---

* Cet ouvrage n'étant pas un manuel d'astrologie, les éléments astronomiques de base concernant le zodiaque sont supposés connus.

dans lequel les organes se sont matérialisés. Si l'on considère encore le mouvement des planètes par rapport au zodiaque, on retrouve la même opposition. Les constellations du zodiaque montent dans le ciel en suivant l'ordre : Bélier, Taureau, Gémeaux, tandis que les planètes tournent en sens inverse.

On peut encore étudier l'opposition entre les planètes et le zodiaque d'un autre point de vue. Le zodiaque représente le côté stable, immuable. A la différence des planètes qui sont toujours en mouvement, le zodiaque garde son ordre et sa régularité. Jamais on n'a vu le Bélier à côté de la Balance, ou les Poissons entre le Lion et la Vierge. Les constellations du zodiaque conservent le même ordre depuis l'éternité, tandis que les planètes ne sont jamais à la même place ni dans le même ordre les unes par rapport aux autres. Elles représentent le domaine psychique qui varie constamment par opposition au corps physique qui, lui, présente toujours la même disposition. Ni la tête, ni l'estomac, ni les pieds n'ont jamais changé de place. Les membres, les organes, gardent, comme les signes du zodiaque, une place fixée depuis la création du monde. Tandis qu'à l'intérieur du corps, tout est en mouvement : mouvement du sang, des humeurs et des courants nerveux qui traversent l'organisme.

Exactement comme les planètes qui sont toujours en mouvement.

D'autre part, vous savez que les planètes
reçoivent une grande puissance, ou au contraire
se trouvent affaiblies, suivant les signes par lesquels elles passent, et qu'à leur tour elles agis-
sent sur ces signes. Quand Mars arrive en Bélier,
il devient fort, puissant, parce que le Bélier lui
donne toutes les énergies. Mars et le Bélier ont
de la sympathie l'un pour l'autre, ils se com-
prennent et puisent des forces l'un dans l'autre.
Mais quand Mars arrive dans d'autres signes,
comme le Cancer ou la Balance, par exemple, il
devient faible parce que ces signes lui sont étrangers. De la même manière, en nous, ce qui
représente les planètes, c'est-à-dire les impul-
sions, les tendances, les sentiments, sont plus ou
moins exaltés ou affaiblis suivant les organes, les
centres au travers desquels ils se manifestent. Si
vous placez votre amour dans la tête, il n'agira
pas de la même façon que si vous le placez dans
le cœur. Et si vous placez la sagesse ailleurs que
dans le cerveau, qu'y fera-t-elle?... C'est seulement là où les organes et les forces se compren-
nent qu'ils reçoivent les uns des autres une grande énergie. Voilà des points qui doivent être
approfondis. De même que les planètes se trouvent exaltées ou en exil dans certains signes, de
même nos facultés intellectuelles, affectives et

physiques sont renforcées ou affaiblies suivant les organes à travers lesquels elles cherchent à s'extérioriser.

Il ne faut pas se contenter d'étudier le zodiaque de façon abstraite, théorique, mais apprendre à le retrouver et à l'interpréter dans toutes les manifestations de l'existence. C'est à ce moment-là que l'astrologie devient vraiment vivante et utile pour vous. Le zodiaque est un livre d'une extraordinaire richesse et profondeur, tous les mystères de la vie y sont contenus. Les multiples combinaisons que ne cessent de former les signes et les planètes entre eux sont comme autant de fils qui se tissent. Jour après jour ce sont ces combinaisons qui forment la trame de la vie.

III

LE CYCLE PLANÉTAIRE DES HEURES ET DES JOURS DE LA SEMAINE

L'Arbre séphirotique est une figure symbolique d'une grande profondeur par laquelle les kabbalistes ont voulu rendre compte de la création du monde. La Kabbale dit qu'à l'origine il y avait l'Absolu, le Non-manifesté, Aïn Soph Aur c'est-à-dire : lumière sans fin, et toute la création n'est que la condensation de cette lumière. Les dix séphirot ou dix régions divines, se sont donc formées par émanations successives, et à chacune d'elles est attachée une planète : à Malkout la Terre, à Iésod la Lune, à Hod Mercure, à Netzach Vénus, à Tiphéret le Soleil, à Gébourah Mars, à Hésed Jupiter, à Binah Saturne... De nos jours on attribue Uranus à Hokmah et Neptune à Kéther, mais les Anciens qui ne connaissaient pas dans le système solaire les planètes au-delà de Saturne, attribuaient à Hokmah le zodiaque, et à Kéther les premiers tourbillons qui ont présidé à la création.

Si nous considérons les sept planètes, de la Lune à Saturne, placées sur l'Arbre séphirotique, nous voyons que ce sont précisément celles qui correspondent aux sept jours de la semaine, mais dans un ordre différent. Dans l'Arbre séphirotique les planètes sont dans l'ordre : ☽ Lune, ☿ Mercure, ♀ Vénus, ☉ Soleil, ♂ Mars, ♃ Jupiter, ♄ Saturne, alors que les jours de la semaine sont dans l'ordre : ☉ Soleil (dimanche), ☽ Lune (lundi), ♂ Mars (mardi), ☿ Mercure (mercredi), ♃ Jupiter (jeudi), ♀ Vénus (vendredi), ♄ Saturne (samedi). Vous vous demandez certainement à quoi correspond cet ordre des jours de la semaine...

Commençons par Saturne qui est la première planète à partir du haut sur l'Arbre séphirotique. La tradition ésotérique dit qu'elle régit la première heure du samedi, tandis que l'heure suivante est régie par Jupiter, la troisième par

SAMEDI	1ère heure	♄	♃	♂	☉	♀	☿ ☽
	8e heure	♄	♃	♂	☉	♀	☿ ☽
	15e heure	♄	♃	♂	☉	♀	☿ ☽
	22e heure	♄	♃	♂			
DIMANCHE	1ère heure	☉	♀	☿	☽	♄	♃ ♂
	8e heure	☉	♀	☿	☽	♄	♃ ♂
	15e heure	☉	♀	☿	☽	♄	♃ ♂
	22e heure	☉	♀	☿			

Mars, la quatrième par le Soleil... et ainsi de suite jusqu'à la huitième heure, qui est à nouveau sous l'influence de Saturne; et le cycle recommence. Toutes les huit heures on retrouve l'influence de Saturne. On atteint ainsi la vingt-quatrième heure et l'on constate que la première heure du jour suivant est régie par le Soleil.

En appliquant le même procédé à chaque jour, on constate que la première heure est sous la domination de la planète qui correspond à ce jour-là, c'est-à-dire donc la Lune pour lundi, Mars pour mardi, Mercure pour mercredi, etc. Voilà comment s'explique l'ordre des jours de la semaine.

Mais vous devez aussi savoir que des entités vivantes, intelligentes, sont liées à chaque planète. Donc chaque heure qui vient amène avec elle des entités qui font un travail sur les plantes, les minéraux, les animaux, les humains. Et comme à chaque planète est attachée non seulement une couleur, mais un son déterminé (Do à Saturne, Ré à Jupiter, Mi à Mars, Fa au Soleil, Sol à Vénus, La à Mercure, Si à la Lune), la symphonie des sons varie avec l'heure de la journée à cause de la succession des esprits. Ce sont les planètes qui chantent à travers l'espace, et nous baignons dans cette musique que l'on a appelée la musique des sphères. Grâce à la méditation, la contemplation, l'homme peut arriver à perce-

voir cette symphonie des planètes, des hiérar-
chies angéliques... Animé par le chant des anges,
l'univers respire, se nourrit et vit.

Considérons à nouveau l'ordre des planètes
en relation avec les jours de la semaine. En commençant par le jour de la Lune, nous avons : ☽,
♂, ☿, ♃, ♀, ♄, ☉. Si, en reprenant ce même
ordre, nous sautons chaque fois une planète
nous avons : ☽, ☿, ♀, ☉, ♂, ♃, ♄, ce qui
correspond à la succession observée dans l'Arbre
séphirotique.

Retranscrivons horizontalement cette suite
alternée de planètes pour deux semaines :

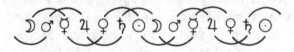

Mettons maintenant ces deux séries face à face.

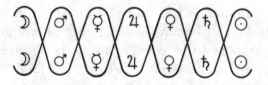

Nous avons là l'image de deux ondes en mouvement et nous voyons que là où, pour une planète, la courbe correspond au maximum, elle cor-

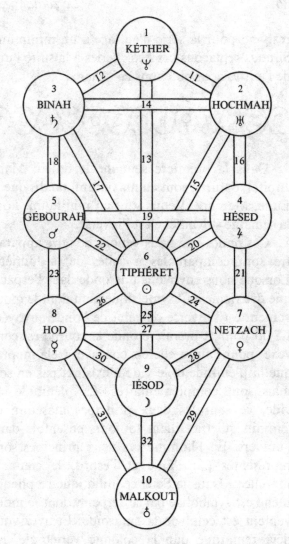

Arbre de la Vie

respond pour la série d'en face à un minimum.
Si nous replaçons ces deux séries à la suite l'une
de l'autre, nous obtenons ce schéma :

Dans la première semaine le Soleil, Mars,
Jupiter, Saturne sont au maximum, tandis que la
Lune, Mercure, Vénus sont au minimum. Pour
la semaine suivante, c'est l'inverse.

Ces ondes que nous venons de faire apparaître sont comparables à celles de la lumière.
Lorsque nous envoyons une onde dans l'espace,
une deuxième naît symétriquement dont le mouvement est l'inverse de celui de l'onde envoyée.
Là où pour la première onde la courbe est con-
vexe, pour l'autre elle est concave. Cela montre
que la plénitude et le vide n'existent pas en soi,
mais sont complémentaires. La plénitude, le
vide, ce sont les deux principes masculin et
féminin qui travaillent toujours ensemble dans
l'univers. En l'homme ces deux principes sont
représentés par l'âme et l'esprit, le cœur et
l'intellect. Dans la Science initiatique ce phéno-
mène est symbolisé par le serpent, dont le mouvement est celui de la sinusoïde. Et avez-vous
déjà remarqué que la colonne vertébrale qui
soutient tout notre squelette est également cons-

truite d'après le mouvement sinusoïdal du serpent, c'est-à-dire de la lumière?

Mais revenons aux jours de la semaine : dimanche est lié à mardi, qui transmet à jeudi, qui transmet lui-même à samedi, et ainsi de suite : lundi, mercredi, vendredi... Les jours forment une chaîne, leur succession répond aussi à un agencement musical. Les planètes, les jours de la semaine chantent en chœur devant le Créateur. Liés entre eux comme les grains d'un chapelet sans fin, ils forment une chaîne dont le déroulement s'inscrit dans l'éternité. Si les chapelets ont une grande importance dans beaucoup de religions, c'est parce qu'ils symbolisent l'enchaînement des forces cosmiques, la succession infinie des éléments et des êtres. Nous faisons, nous aussi, tous partie d'une chaîne ; il ne faut jamais oublier cela, car c'est en gardant la conscience que nous appartenons à ce déroulement infini, que nous vivrons à l'unisson de l'harmonie cosmique.

IV

LA CROIX DE LA DESTINÉE

Le soleil parcourt toutes les constellations du zodiaque en un an. Lorsqu'un enfant naît, son signe solaire est celui de la constellation où se trouve le soleil ce jour là : Bélier, du 21 mars au 20 avril ; Taureau, du 21 avril au 20 mai, etc...

En dehors du signe solaire il existe quatre points importants dans un horoscope : la constellation qui se lève à l'Est au moment de la naissance (Ascendant), celle qui se couche à l'Ouest et qui lui est donc opposée (le Descendant), la constellation qui culmine dans le ciel (le Milieu du Ciel) et celle qui lui est opposée (le Fond du Ciel). Les axes Ascendant – Descendant, et Milieu du Ciel – Fond du Ciel divisent l'horoscope en 4 parties, chacune étant elle-même divisée en 3, ce qui donne 12 maisons. On situe la première maison à partir de l'Ascendant, et ainsi on a, entre l'Ascendant et le Fond du Ciel les maisons 1, 2, 3 ; entre le Fond du Ciel et le Descendant, les maisons 4, 5, 6 ; entre le Des-

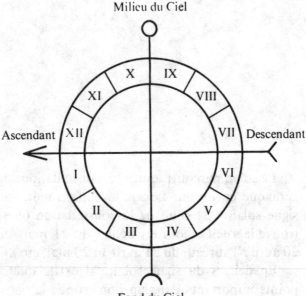

cendant et le Milieu du Ciel, les maisons 7, 8, 9 ;
entre le Milieu du Ciel et l'Ascendant, les maisons 10, 11, 12. On ne doit pas confondre l'ordre
des signes du zodiaque (Bélier, Taureau,
Gémeaux, etc... jusqu'aux Poissons) et celui des
maisons qui, comme je viens de vous le dire, se
calcule à partir de l'Ascendant, lequel peut se
trouver dans n'importe quel signe.

Voyons maintenant rapidement à quoi correspond chaque maison.
– Première maison : l'homme lui-même, ses tendances profondes.

– Deuxième maison : les biens matériels, les acquisitions.

– Troisième maison : les relations avec l'entourage, les frères et sœurs, les études, les petits voyages.

– Quatrième maison : la famille, le foyer.

– Cinquième maison : les enfants, le domaine de la création, les jeux, les spéculations.

– Sixième maison : le travail, la santé.

– Septième maison : la vie conjugale, les associations.

– Huitième maison : la mort, l'au-delà.

– Neuvième maison : les grands voyages, la vie spirituelle, la philosophie, la religion.

– Dixième maison : la situation sociale, les honneurs.

– Onzième maison : les amis.

– Douzième maison : les épreuves, les ennemis, les souffrances.

Mais ces indications que nous donne l'astrologie courante, ne nous montrent pas pourquoi telle maison a tel sens, ni la raison de la succession des maisons dans un ordre déterminé. Je vais vous montrer maintenant ces liaisons.

Au cours de sa vie chaque être subit l'influence des douze constellations et chacune d'elles l'influence dans un sens déterminé. Car, une fois né dans le plan physique, tout homme est obligé de suivre une certaine évolution : il grandit, il vieillit, et il meurt. Cette évolution, qui ne dépend pas de lui, est indiquée par les douze signes du zodiaque.

Je viens de vous dire que dans un horoscope on ne doit pas confondre les signes du zodiaque et les maisons, mais dans le schéma général qui peut être esquissé de l'évolution d'un être, on peut cependant voir une correspondance entre les signes du zodiaque et les maisons.

1. Le tout petit enfant qui vient de naître se manifeste par le mouvement. Il gesticule, il essaie de toucher et de prendre tout ce qui est à sa portée. Si quelqu'un s'approche de lui, il lui tire les vêtements, les cheveux ou la barbe et même lui donne des coups. Mais tous trouvent que l'enfant est adorable, même s'il fait des bêtises. Voilà le Bélier ♈, la première maison, les forces vitales qui jaillissent.

2. L'enfant grandit et son entourage ne pense qu'à pourvoir à ses besoins : le nourrir, le vêtir, lui apporter des jouets, des bonbons, des images. C'est la deuxième maison, le Taureau ♉, les biens.

3. Maintenant il est temps d'instruire l'enfant et on l'envoie à l'école. Il a de petits livres et de petits cahiers dans lesquels il apprend à lire et à écrire. Il observe et pose des questions. Il est agile et prompt, il court toujours sur le chemin de

l'école. Ses allées et venues entre la maison et l'école représentent ses premiers petits voyages. A l'école il fait aussi connaissance avec d'autres enfants. Ce sont les Gémeaux ♊, la troisième maison, les études, les relations, les petits voyages.

4. Bientôt l'enfant devient un jeune homme, il rencontre une jolie jeune fille (tout au moins d'après son goût), et il se laisse aller à son imagination : il rêve d'un foyer où lui et sa bien-aimée vivront ensemble, et il tente de présenter la jeune fille à ses parents. C'est la quatrième maison, celle du Cancer ♋, du foyer.

5. Le voici marié depuis quelque temps et père de famille. Le soir, en rentrant du travail il retrouve ses enfants et se réjouit de les voir ; leurs jeux sont un spectacle qu'il préfère à tous ceux du monde extérieur, et il joue avec eux. Devant les autres, il se sent fier d'être un père. C'est bien là ce qui caractérise le signe du Lion ♌, qui veut s'imposer dans son entourage, profiter des joies de l'existence et qui est fier de montrer ses créations, ses enfants.

6. Maintenant la vie est devenue difficile : les charges s'accumulent, l'argent manque, il y a des malades à la maison. Le père commence à travailler n'importe où et à n'importe quoi pour subvenir aux besoins urgents de la famille. Son travail est très pénible, et à la fin, complètement

épuisé, il tombe malade. A ce moment-là, on lui conseille de faire attention à sa santé, d'avoir une vie plus équilibrée, etc... c'est la sixième maison, celle de la Vierge ♍, la maison du travail et des problèmes de santé.

7. Avec le temps, les affaires s'arrangent, le père a retrouvé un bon travail et la santé. Il se montre maintenant dans les réceptions accompagné de sa femme élégamment vêtue. Il commence à donner des conseils aux autres, il leur dit : «Faites ceci... ne faites pas cela... Moi aussi, je suis passé par des difficultés, et maintenant j'ai de l'expérience, je peux vous conseiller.» Et, en effet, il donne des conseils de prudence, de mesure, il manifeste l'équilibre de la septième maison, la Balance ♎.

8. Il arrive parfois que, durant cette période, il s'aperçoive que sa femme regarde d'autres hommes d'une façon qui ne lui plaît pas. Il ne sait pas ce que cela signifie et il s'irrite. Il fait des petites scènes à sa femme, il est jaloux car il pense qu'elle le trompe ; il menace de se venger par les armes ou le poison. Voilà le Scorpion ♏, jaloux, agressif, la huitième maison. D'autre part il se révolte aussi contre l'ordre social qu'il trouve injuste et il cherche les moyens de le transformer. Ce qui est encore une manifestation du signe du Scorpion.

9. Il est maintenant chef de bureau, haut

fonctionnaire, ou professeur respecté. Il veut connaître les autres pays, leurs coutumes, leurs genres de vie différents, et il fait de grands voyages. Il a aussi besoin de réfléchir sur le sens de sa vie et il est de plus en plus attiré par les problèmes philosophiques et religieux. C'est la neuvième maison, le Sagittaire ♐.

10. Il vieillit et il acquiert une grande réputation par sa position sociale et son autorité. Dans cette position, il se sent autorisé à porter des jugements sur tout et sur tous, et il connaît peu à peu l'isolement. C'est la dixième maison, celle du Capricorne ♑, qui correspond à la plus haute position sociale mais aussi à une vie solitaire.

11. Mais il arrive un moment où il constate qu'il ne peut pas continuer à assumer un travail qui nécessite des forces qu'il n'a plus, et il décide de se retirer. Il cherche dans son entourage un homme plus jeune capable de le remplacer. Maintenant qu'il est moins pris par son travail, il peut donner plus de temps à ses amis avec lesquels il s'entretient de questions spirituelles. C'est la onzième maison, le Verseau ♒, la maison des amis et de la spiritualité.

12. Maintenant, il s'affaiblit de plus en plus et se détache tellement du monde physique que les trois-quarts de son être sont déjà ailleurs. Il ne pense ni aux biens matériels ni aux richesses, mais à la manière dont il partira de l'autre côté.

Il fait un testament par lequel il se dépouille de tous ses biens. Quelquefois il est abandonné dans un hôpital. C'est la douzième maison, les Poissons ♓, la maison du sacrifice, du renoncement, des épreuves.

Naturellement, ces indications correspondent à un schéma général. Pour chaque cas particulier on trouve des variations, des nuances, car l'existence de chaque être est déterminée par ses vies antérieures. C'est ainsi que celui qui a mal vécu peut tomber très bas dans la période où il aurait dû, au contraire, se trouver au sommet. Un autre arrivé à l'époque de la vieillesse ne sait pas faire preuve de détachement et se préparer à la mort, mais s'accroche à la vie, parce qu'il n'a jamais pensé à travailler sur le renoncement et l'abnégation. Chaque horoscope est particulier et s'éloigne plus ou moins de ce schéma général que je viens de vous donner. Mais quoi qu'il en soit, chacun doit subir l'influence des douze constellations et des douze maisons, et être donc très attentif à chaque passage, sinon il s'ensuivra pour lui des conséquences préjudiciables dans une autre vie. Chaque phase dure sept années en moyenne, quelquefois six, quelquefois huit, cela dépend des incarnations antérieures. Certaines phases sont traversées rapidement, tandis que d'autres ont une durée plus longue. Si le gouverneur de la maison I est dans la maison

III, cela signifie qu'on s'arrêtera très longtemps dans la période des études. S'il est dans la sixième maison, c'est par les questions de santé qu'on sera préoccupé, etc...

Etudions maintenant sur le zodiaque les axes que forme chaque signe avec le signe opposé.

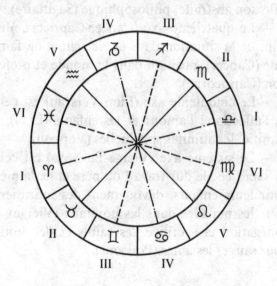

– Le premier axe (Bélier-Balance) représente les échanges entre le sujet et son (ou sa) partenaire (la femme ou le mari); la première moitié de l'axe correspondant à l'état de conscience personnel, et l'autre moitié aux possibilités d'échanges avec une personne de l'autre sexe.

– Le second axe (Taureau-Scorpion) représente la puissance : puissance dans les sentiments, abondance de sensations et de passions
(Taureau), et puissance de la pénétration spirituelle (Scorpion).

– Le troisième axe (Gémeaux-Sagittaire) est
celui des études : études concrètes (Gémeaux) et
réflexion abstraite, philosophique (Sagittaire).

– Le quatrième axe (Cancer-Capricorne) est
celui de la situation dans la vie : situation fami-
liale (Cancer), position dans le monde et profes-
sion (Capricorne).

– Le cinquième axe (Lion-Verseau) est celui
de l'affection : l'amour et les enfants (Lion), et
l'amitié, les affinités spirituelles (Verseau).

– Le sixième axe (Vierge-Poissons) est celui
du sacrifice : le dur travail du père et de la mère
pour leurs enfants, dévouement des infirmières
pour les malades dans les hôpitaux (Vierge), et
abnégation et sacrifice des saints et des Initiés
pour sauver les âmes (Poissons).

Ces six axes forment 3 croix, chacune formée
par le croisement de deux axes perpendiculaires.

1. Les axes Bélier-Balance et Cancer-
Capricorne.

2. Les axes Taureau-Scorpion et Lion-
Verseau.

3. Les axes Gémeaux-Sagittaire et Vierge-Poissons.

Chaque être qui vient sur la terre a, dans son horoscope, une croix spéciale formée par l'Ascendant et le Descendant d'une part, et le Milieu du Ciel et le Fond du Ciel d'autre part. D'après les signes du zodiaque où se trouvent les branches de cette croix, l'homme rencontre dans sa vie tel ou tel problème à résoudre.

C'est de cette croix de la destinée que Jésus parlait quand il disait : «Si quelqu'un veut venir après moi, qu'il renonce à lui-même, qu'il se charge de sa croix et qu'il me suive. Car celui qui voudra sauver sa vie la perdra, mais celui qui la perdra à cause de moi, la sauvera». Oui, notre véritable croix est en nous-mêmes, et notre horoscope n'est en réalité que l'indication des problèmes que nous devrons affronter et résoudre dans notre vie. Quelles que soient les difficultés et les souffrances que nous rencontrons dans notre vie, elles nous ont été données par des Etres supérieurs qui ont agi avec justice.

Il faut accepter le jugement de ces Etres supérieurs, et au lieu de nous plaindre ou de nous révolter, chaque jour nous devons dire : «Si je souffre maintenant, c'est que, dans une incarnation passée, je n'ai été ni sage, ni honnête, ni bon, ni juste. Le monde invisible veut me don-

ner des leçons. Désormais je prendrai volontai-
rement ma croix, et je suivrai le Christ.» Si
l'homme se révolte, la justice divine le punit
doublement. Cela se passe exactement comme
pour les punitions terrestres. Si un prisonnier
veut s'échapper, on le rattrape, on lui fait réinté-
grer sa cellule, et on augmente sa peine au lieu
de l'alléger. Celui qui se révolte et ne veut pas
accepter la destinée qui lui a été donnée en
accord avec les lois de la Justice divine, souffrira
davantage, la justice viendra et l'obligera à
reprendre sa croix, à entrer de nouveau dans le
carré, la prison*.

On dit que Jésus est venu sur la terre pour
nous sauver. Oui, il est venu dans cette prison de
chair qu'est le corps physique afin que d'autres
soient libérés. Et si nous aussi, nous voulons
nous sacrifier pour les autres, le monde invisible
diminuera notre karma.

Celui qui travaille d'après les lois de l'amour
n'a pas à subir la loi de justice, sa peine est allé-
gée. Quand un prisonnier manifeste beaucoup
de patience et de bonté, il attire l'attention de ses
juges qui disent: «Cet homme est remarquable,
il donne un exemple magnifique, diminuons ses

* Sur les rapports de la croix et du carré, voir dans «Le langage des figures géométriques» (n°. 218 de la collection
Izvor), chapitre VI, 2e partie.

peines», et ils raccourcissent son temps de prison, et parfois même décident de le grâcier. Pour les autres la justice est strictement appliquée et ils doivent payer jusqu'au dernier centime. S'ils sont condamnés à la prison pour vingt ans, ils y resteront vingt ans. De la même façon si dans cette prison du corps physique, l'homme manifeste des qualités spirituelles, il se produira un changement dans sa destinée, un abrègement des souffrances, un allègement du fardeau à porter. C'est dans ce sens que chacun est maître de sa destinée. Pour celui qui vit exclusivement dans les passions et les plaisirs, la croix sera de plus en plus lourde, elle deviendra même tellement pesante qu'elle finira par l'écraser.

Jésus disait : «Que celui qui veut venir après moi, renonce à lui-même.» Celui qui a renoncé entre sous l'influence de l'axe Vierge-Poissons, la sixième et la douzième maison, comme Jésus qui guérissait les malades (sixième maison) et qui a accepté les ennemis, la solitude et la crucifixion afin de sauver ceux qui devaient venir après lui et ceux qui étaient venus avant lui (douzième maison).

Et maintenant, il nous demande de le suivre : c'est l'axe Gémeaux-Sagittaire, les intérêts pour les études, la philosophie, la religion.

Quand Jésus parlait de la croix, il ne pensait pas à n'importe quelle croix de bois ou de métal,

mais à la croix de la destinée qui est inscrite dans
l'horoscope de tous les êtres. D'après les constellations placées sur les deux axes du Milieu du
Ciel et du Fond du Ciel, de l'Ascendant et du
Descendant, l'homme aura tel ou tel problème
particulier à résoudre dans sa vie. Et Jésus savait
que lui aussi souffrirait et devrait porter sa propre croix. C'est pourquoi, un jour où il parlait
de sa mort prochaine et que Pierre lui disait :
«Non, Seigneur, cela ne t'arrivera pas», Jésus
répondit : «Arrière de moi, Satan ! Tu m'es un
scandale ; car tes pensées ne sont pas les pensées
de Dieu, mais celles des hommes.»

Nous devons donc prendre notre croix et la
porter. Pour cela, il faut cesser d'écouter notre
nature inférieure, la personnalité, qui nous conseille sans cesse de l'abandonner, c'est-à-dire de
négliger notre travail et nos responsabilités pour
pouvoir vivre dans la paresse et les plaisirs, comme si nous n'étions venus sur la terre que pour
cela. Celui qui cherche à échapper aux efforts et
aux difficultés, rencontrera toujours des difficultés plus grandes. Au lieu d'éluder les problèmes,
il vaut mieux essayer de les résoudre, sinon la
situation dans laquelle on tombe sera pire que
celle que l'on a voulu fuir. Avant d'avoir résolu
le problème grâce auquel le monde invisible
veut vous instruire, vous ne pouvez vous échapper nulle part. Là où vous irez, on vous impose-

ra une autre leçon plus dure encore. Le monde invisible vous dira : « Tu n'as rien voulu apprendre là-bas, eh bien, voici autre chose à apprendre ici ! » Il ne faut pas fuir les difficultés, mais chercher à bien comprendre leur sens et faire ce qui est nécessaire pour les résoudre. Lorsqu'on y est arrivé, tout ce que l'on peut faire ensuite est bénéfique.

Celui qui croit pouvoir échapper à ses obligations pour trouver des occupations plus agréables ne connaît pas les lois sévères qui régissent la destinée. Une femme pense : « Mon mari est ennuyeux, quelconque, je veux en trouver un autre plus amusant, plus séduisant... » Elle le trouve, elle abandonne son premier mari qu'elle fait évidemment souffrir, mais bientôt c'est elle qui souffre bien davantage. Il n'est pas absolument interdit de quitter un mari, ou une femme, mais pas avant d'avoir résolu le premier problème posé. Ce qui paraît facile est en réalité extrêmement difficile, et inversement. Si vous choisissez le chemin le plus difficile, le Seigneur vous enverra des anges pour vous aider, mais si vous choisissez la route facile, vous aurez aussi pour compagnons des anges, mais d'une autre espèce... des anges justiciers.

Désormais, acceptez de porter votre croix sans vous lamenter. Dites-vous : « C'est ma tâche, c'est un problème que je dois résoudre, mais pour cela je dois apprendre. Je résoudrai ces difficultés par la sagesse, l'amour et la pureté.» Et les entités divines qui vous observent d'en haut diront: «Diminuons un peu les inquiétudes et les souffrances de cet être.»

«Si quelqu'un veut venir après moi, qu'il se charge de sa croix.» C'est de la croix que se servira le disciple pour construire la base de la maison dans laquelle il enfermera sa nature inférieure. Lui-même, c'est-à-dire sa nature supérieure, vivra sur le toit de cette maison*. De là, il verra le soleil se lever, il contemplera les astres, lira les règles et les prescriptions de l'Intelligence cosmique. La croix, c'est l'ensemble de toutes les expériences heureuses ou malheureuses que le disciple doit vivre pour en tirer une leçon et sur lesquelles il crucifiera sa nature inférieure, son égoïsme, son orgueil. Si la croix n'était pas nécessaire à la vie du disciple, Jésus aurait simplement dit: «Allez, laissez votre croix et suivez-moi, car le chemin est long et pour pouvoir marcher longtemps, vous devez être libérés, débarrassés de tout fardeau.» Mais Jésus a dit: «Prends ta croix et suis-moi», car c'est en prenant sa croix qu'on se libère.

---

* Voir le commentaire du verset: «Que celui qui est sur le toit ne descende pas...» chapitre VI de «Nouvelle lumière sur les Evangiles» (collection Izvor, n°. 217).

V

LES AXES BÉLIER-BALANCE
ET TAUREAU-SCORPION

La Science initiatique nous apprend que l'être humain est constitué de différents corps, c'est-à-dire qu'au-delà du corps physique, il possède d'autres corps de nature subtile : le corps astral, le corps mental inférieur, le corps mental supérieur (ou corps causal), le corps bouddhique et le corps atmique. L'homme a donc 6 corps. *(Voir schéma page 60.)*

(Voir schéma page 60.)

Etudions ce schéma. Vous voyez d'abord qu'il se divise en deux parties : en bas la nature inférieure et en haut la nature supérieure qui présentent chacune trois divisions correspondant aux trois principes fondamentaux en l'homme : la pensée, le sentiment et l'action. A la nature inférieure appartiennent les corps physique, astral, mental ; à la nature supérieure les corps causal, bouddhique et atmique.

Les trois grands cercles concentriques montrent qu'il existe un lien entre les corps supé-

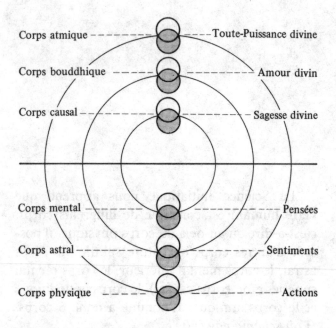

Corps atmique - - - - - - - - - - Toute-Puissance divine

Corps bouddhique - - - - - - - - - - - - Amour divin

Corps causal - - - - - - - - - - - - Sagesse divine

Corps mental - - - - - - - - - - - - Pensées

Corps astral - - - - - - - - - - - Sentiments

Corps physique - - - - - - - - - - Actions

rieurs et les corps inférieurs. En effet, le corps
atmique, siège de l'esprit, qui représente la puissance et la volonté divines, est lié au corps physique qui représente la volonté, la puissance
dans le plan matériel. Le corps bouddhique, siège de l'âme avec tous les sentiments les plus éle-
vés, est lié au corps astral, siège du cœur. Le
corps causal, véhicule des pensées les plus vastes
et les plus lumineuses, est lié au corps mental,
siège de l'intellect. Ce schéma est d'une très

grande simplicité, mais il contient et résume une science extraordinaire.

Vous avez remarqué que sur ces grands cercles figurent, pour représenter chaque corps, deux petits cercles. C'est un point très important. Dans la littérature ésotérique, vous ne trouverez d'explications sur ce sujet que pour le corps éthérique qui est le double du corps physique. Le double éthérique pénètre le corps physique et lui apporte la vie, la sensibilité, les forces. Si le lien qui unit le corps physique à son double éthérique vient à être coupé, le corps physique n'est plus qu'un cadavre, il est mort.

Le corps physique a donc un double, et il en est de même pour les autres corps. Le corps astral et le corps mental possèdent un double astral et mental fait d'une matière plus subtile qu'eux. Si ces doubles sont absents ou défectueux, les corps correspondants ne peuvent plus fonctionner correctement.

Regardez aussi comment est faite notre planète. Sur le sol, la terre, se trouve l'eau qui recouvre en partie sa surface ou pénètre en elle de toutes parts. Puis, au-dessus, se trouve l'atmosphère également constituée de deux éléments : l'air et le feu (les rayons de lumière qui pénètrent l'air). Partout nous retrouvons ce principe du double qui pénètre et donne la vie.

Considérons maintenant ce schéma :

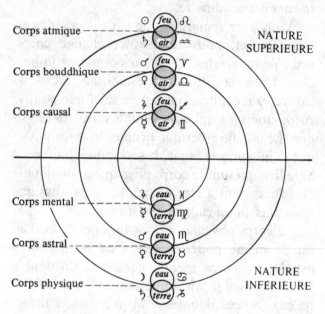

Dans la partie inférieure on voit, pour chaque corps, le petit cercle de la terre qui représente en quelque sorte la «forme» que l'eau vient pénétrer et animer. Dans la partie supérieure, cette «forme», c'est l'air pénétré et animé par le feu. Nous possédons donc 3 corps inférieurs qui sont constitués par les deux principes terre-eau, et 3 autres corps plus subtils, constitués par les principes air-feu. Les 3 corps supérieurs représentent donc en quelque sorte «l'atmosphère» des 3 corps inférieurs.

Revenons maintenant au zodiaque. A ces six corps correspondent les douze constellations, 2 pour chaque corps. Quant aux planètes, chacune exerce son influence dans les deux mondes : le monde d'en haut (les corps supérieurs) et le monde d'en bas (les corps inférieurs).

Voyons donc quels signes correspondent à nos différents corps. Pour le corps physique, c'est le Capricorne ♑ où règne Saturne ♄ , et pour le double éthérique, le Cancer ♋, son opposé dans le zodiaque, où règne la Lune ☽.

Pour le corps astral, c'est le Taureau ♉, où règne Vénus ♀, et pour son double, le Scorpion ♏ (son opposé), où règne Mars ♂.

Pour le corps mental, c'est la Vierge ♍, régie par Mercure ☿, et pour son double, les Poissons ♓, régis par Jupiter ♃ .

Si nous regardons maintenant la partie supérieure du schéma, au corps causal correspondent les signes des Gémeaux ♊ et du Sagittaire ♐, au corps bouddhique la Balance ♎ et le Bélier ♈ et au corps atmique le Verseau ♒ et le Lion ♌.

En ce qui concerne les planètes, celles qui sont localisées dans les plans inférieurs se répètent dans les plans supérieurs, mais en ordre inverse. Une seule exception : la Lune qui est remplacée par le Soleil. Ce sont les planètes qui établissent les liens entre les corps supérieurs et inférieurs. On a donc le tableau suivant :

♄ ☽ corps physique lié au corps atmique ☉ ♄
♀ ♂ corps astral lié au corps bouddhique ♀ ♂
☿ ♃ corps mental lié au corps causal ☿ ♃.

Mercure et Jupiter régissent ainsi les deux plans de la pensée (corps mental et corps causal).

Vénus et Mars régissent les deux plans du sentiment (corps astral et corps bouddhique).

Saturne-Lune et Saturne-Soleil régissent les deux plans de l'action, de la volonté (corps physique et corps atmique).

Notre corps atmique est donc influencé par le Verseau (Saturne), l'homme qui pense, qui réfléchit, et par son double, le Lion (le Soleil) qui représente le cœur supérieur, tandis que le corps physique est influencé par le Capricorne et le Cancer, c'est-à-dire par Saturne et la sensibilité, la Lune. Le Soleil représente en effet la nature supérieure de l'homme, rayonnante, stable, tandis que la Lune représente sa nature inférieure traversée d'ombres, mouvante, instable. Plus tard nous étudierons ce schéma de façon plus approfondie en le liant à beaucoup d'autres questions. Pour le moment je vous montrerai comment on peut, grâce à lui, expliquer la question du péché originel, de la chute.

Le corps astral, nous venons de le voir, est le domaine de Mars et de Vénus : Mars inférieur avec la violence, l'agressivité, les forces de destruction, et Vénus inférieure avec la sensualité. D'autre part le corps astral est lié au corps bouddhique qui est régi, lui aussi, par les mêmes planètes, mais dans leur aspect supérieur : Mars se manifeste alors comme courage, activité, dynamisme, esprit chevaleresque qui lutte pour protéger les autres, et Vénus comme grâce, tendresse, amour spirituel.

Dans la partie inférieure du schéma, Vénus et Mars occupent les signes du Taureau et du Scorpion, alors que, dans la partie supérieure, ils occupent les signes de la Balance et du Bélier. Et justement, sur le cercle du zodiaque, le Bélier est opposé à la Balance, et le Taureau est opposé au Scorpion.

Cela forme deux axes :

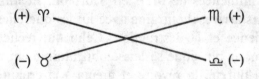

Chaque axe relie deux pôles : Vénus, le principe féminin, est relié à Mars, le principe masculin. Pour comprendre la nature de cette liaison entre les deux pôles masculin et féminin, il suffit d'un exemple très simple. Si, pendant quelques secondes, vous fixez la couleur rouge, et que

vous dirigiez ensuite votre regard sur un fond
blanc, vous y verrez apparaître la couleur verte.
Et inversement. Pourquoi le rouge et le vert
sont-ils ainsi liés? Or, le rouge est la couleur de
Mars, et le vert celle de Vénus. La connaissance
de ces faits nous permettra de comprendre certaines manifestations psychiques. Si vous agissez
avec le Taureau, vous éveillez le Scorpion; si
vous agissez avec le Bélier vous éveillez la
Balance, et réciproquement, car il existe un lien
entre ces deux signes.

Dans le Taureau, Vénus se manifeste sous
son aspect inférieur, elle pousse des êtres à aimer
de façon primitive, à toucher, goûter et sentir
l'amour physiquement; mais après un certain
temps, à cause de cette liaison qui existe entre
les deux planètes, ils ressentent obligatoirement
les influences de Mars en Scorpion. Et lorsque
Mars arrive, il entraîne avec lui les querelles, la
violence et la destruction. Celui qui recherche
l'amour physique se laisse obligatoirement aller
à la dureté, la révolte et même à la cruauté. Il
tuera une bonne pensée en lui-même ou chez les
autres, il détruira un bon sentiment. Inversement, supposez que vous cédiez à une mauvaise
influence de Mars qui vous pousse à être dur,
violent, peu après, vous serez entraîné dans la
sensualité et les passions.

Dans le domaine supérieur où Vénus se

manifeste comme amour désintéressé, bonté, beauté, abnégation, Mars se manifeste aussi, mais il ne viendra pas bouleverser ou détruire, il viendra soutenir, préserver, défendre, renforcer tout ce qui est bon en nous ou dans les autres. C'est une loi absolue. Celui qui manifeste son amour dans le domaine spirituel ne peut pas tomber dans la violence, mais il attire au contraire la puissance bienfaisante de Mars. Supposez maintenant que vous manifestiez Mars par des efforts de domination, de maîtrise des passions, de courage dans les épreuves, à ce moment-là, c'est Vénus qui va venir comme un ange vous apporter tous les trésors du Paradis, qui dilatera votre âme, vous fera goûter la vie immortelle, un amour qui viendra vous soutenir, vous réconforter et vous plonger dans le bonheur et la lumière.

Le Scorpion peut être ici interprété comme une autre forme du symbole du serpent. Il correspond à la huitième maison zodiacale, la maison de la mort. Le livre de la Genèse rapporte que le jardin d'Eden, le Paradis, était planté d'arbres de toutes sortes, mais il n'en mentionne que deux : l'Arbre de la Vie et l'Arbre de la Connaissance du Bien et du Mal. Adam et Eve avaient le droit de manger du fruit de tous les arbres du jardin, excepté du fruit de l'Arbre de la Connaissance du Bien et du Mal. Pourquoi?

Dieu leur avait dit que s'ils goûtaient de cet
arbre ils mourraient. Or, Adam et Eve ont mangé du fruit, et pourtant, ils ont continué à vivre.
Oui, car en réalité, dans la nature la mort n'existe pas ; ce que l'on appelle «mort» n'est que la
modification d'un état de conscience ou d'un
état de la matière.

Adam et Eve vivaient donc dans le plan
bouddhique qui est influencé par la Balance et le
Bélier. Leur existence se déroulait dans la joie, la
paix et la liberté ; ils vivaient en union avec
Dieu, avec tous les anges et les êtres sublimes.
Vénus, qui régit la Balance, leur donnait la
beauté et la douceur, et Mars, qui régit le Bélier,
leur apportait l'énergie, l'activité infatigable.
Grâce à la Balance, qui est la constellation de
l'équilibre parfait, toutes les forces en eux
étaient harmonisées ; ils ne connaissaient pas les
tribulations qu'apportent les deux autres constellations liées à ces deux planètes : le Taureau
et le Scorpion.

Mais Adam et Eve qui étaient habitués à
absorber les forces bénéfiques de Mars et de
Vénus, s'approchaient peu à peu des constellations suivantes : leur désir de connaître les pous-
sait de plus en plus vers le Scorpion qui suit la
Balance dans le zodiaque, et vers le Taureau qui
suit le Bélier. Et c'est en voulant connaître les
nouveaux éléments, les nouvelles forces de ces

constellations, qu'ils ont commis le premier péché : ils se sont déplacés, quittant la région de l'équilibre et de la paix qu'ils habitaient, pour entrer sous l'influence du Taureau et du Scorpion, dans les régions des passions sexuelles et de la violence. Ils sont donc morts à la vie du Bélier et de la Balance, et ils sont nés à la vie du Taureau et du Scorpion dont les forces ont commencé à se déverser sur eux. Ce n'était plus le plan bouddhique, la région du bonheur parfait, de la félicité, mais le plan astral où se produisent tous les bouleversements et les souffrances. Voilà la signification des paroles de Dieu au premier homme : « Le jour où tu mangeras ce fruit, tu mourras. » En se laissant entraîner par les forces inférieures de Vénus et de Mars, Adam et Eve sont morts au plan bouddhique pour tomber dans le plan astral. C'est cela que l'on appelle la « chute ».

Dans le zodiaque, l'Arbre de la Connaissance du Bien et du Mal est représenté par l'axe Taureau-Scorpion, tandis que l'Arbre de Vie est représenté par l'axe Bélier-Balance. Celui qui vit dans la sensualité et les passions mange le fruit de l'Arbre de la Connaissance du Bien et du Mal et meurt chaque jour à l'état de conscience supérieur, tandis que celui qui se maîtrise mange du fruit de l'Arbre de la Vie immortelle, dans le Royaume même de Dieu.

Si nous lisons l'Apocalypse nous voyons qu'elle contient aussi des traces de cette science concernant les axes Bélier-Balance et Taureau-Scorpion. S'adressant à l'église d'Ephèse l'Esprit lui dit : «Je connais tes œuvres, ton travail, ta persévérance. Je sais que tu ne peux supporter les méchants, que tu as éprouvé ceux qui se disent apôtres et qui ne le sont pas et que tu les as trouvés menteurs, que tu as de la persévérance, que tu as souffert à cause de mon nom et que tu ne t'es point lassé. (C'est là Mars supérieur en constante activité). Mais ce que j'ai contre toi, c'est que tu as abandonné ton premier amour (c'est-à-dire Vénus supérieure, l'axe Bélier-Balance). Souviens-toi donc d'où tu es tombé, repens-toi et pratique les premières œuvres... Tu as pourtant ceci, c'est que tu hais les œuvres des Nicolaïtes, œuvres que je hais aussi. (Le Bélier est herbivore et il est le symbole de la pureté. Les Nicolaïtes étaient une secte d'hérétiques qui acceptaient de participer aux banquets où l'on distribuait aux convives des viandes immolées aux idoles et qui avaient des mœurs très relâchées...) A celui qui vaincra je donnerai à manger du fruit de l'Arbre de Vie qui est dans le Paradis de Dieu (c'est-à-dire dans le plan supérieur, le corps bouddhique situé au centre, entre le corps causal et le corps atmique, comme l'arbre était au centre du Paradis).»

Et pour l'église de Smyrne, il est dit : «Je connais ta tribulation et ta pauvreté bien que tu sois riche». Or, le Taureau correspond à la deuxième maison astrologique, celle de la richesse et de la prospérité, et il est donc question ici de la pauvreté spirituelle de l'église de Smyrne qui est tombée sous l'influence de Vénus inférieure dans le Taureau. «Je connais les calomnies de la part de ceux qui se disent Juifs et ne le sont pas, mais qui sont une synagogue de Satan. Ne crains pas ce que tu vas souffrir. Voici, le diable jettera quelques-uns de vous en prison afin que vous soyez éprouvés et vous aurez une tribulation de dix jours» dans les souffrances du Scorpion. «Sois fidèle jusqu'à la mort et je te donnerai la couronne de vie... Celui qui vaincra n'aura pas à souffrir de la seconde mort» autrement dit, celui qui se redressera échappera à la mort donnée par le Scorpion, mort spirituelle qui fut celle d'Adam et Eve.

Vous le voyez, ces textes correspondent exactement à ce que je vous ai dit sur les deux axes Taureau-Scorpion et Bélier-Balance. L'Apocalypse contient tous les mystères de l'alchimie, de la magie, de l'astrologie et de la Kabbale. La plupart des pasteurs et des prêtres n'osent pas l'interpréter, car ils seraient obligés d'accepter toutes ces sciences, et ainsi de changer certains aspects de la religion. On laisse l'Apocalypse de côté parce qu'elle est la preuve que les Livres saints ont besoin d'autres sciences pour être interprétés. Même les cartes du Tarot y sont comprises ainsi que leurs correspondances avec les nombres et les symboles ésotériques.

VI

L'AXE VIERGE-POISSONS

I

Le miracle de la multiplication des deux poissons et des cinq pains a attiré l'attention de nombreux commentateurs des Evangiles. Comment expliquer ce miracle? Jésus a-t-il fait appel à des forces occultes? En réalité je ne crois pas qu'il soit tellement important de répondre à cette question, et je voudrais vous parler de ce passage d'un autre point de vue pour vous montrer qu'il contient des vérités essentielles de la Science initiatique.

Je vous lirai d'abord le texte de l'Evangile:

«Après cela, Jésus passa de l'autre côté de la mer de Galilée – ou de Tibériade. Une grande foule le suivit, parce qu'elle voyait les miracles qu'il opérait sur ceux qui étaient malades. Mais Jésus monta sur la montagne, où il s'assit avec ses disciples. Or, la Pâque, la fête des Juifs, était proche. Ayant levé les yeux et voyant une grande foule qui venait à lui, Jésus dit à Philippe: Où achèterons-nous des pains, afin que ces gens aient à manger? Il disait cela pour l'éprouver, car il savait bien ce qu'il allait faire. Philippe lui répondit : Deux cents deniers de pain ne suffiraient pas pour en donner un peu à chacun. Un de ses disciples, André, frère de Simon Pierre, lui dit : Il y a ici un petit garçon qui a cinq pains d'orge et deux poissons ; mais qu'est-ce que cela pour tant de gens ?

»Alors Jésus dit : Faites-les asseoir. Or, il y avait beaucoup d'herbe en ce lieu-là. Ils s'assirent donc, au nombre d'environ cinq mille hommes. Jésus prit les pains, et, après avoir rendu grâce, il les distribua à ceux qui étaient assis ; il leur donna de même des poissons, autant qu'ils en voulaient. Lorsqu'ils furent rassasiés, il dit à ses disciples : Ramassez les morceaux qui restent, afin que rien ne se perde. Ils les ramassèrent donc, et ils remplirent douze paniers des morceaux qui étaient restés des cinq pains d'orge, après qu'on eût mangé.»

Mais oublions pour un moment ce récit pour nous pencher sur le cercle du zodiaque.

Le soleil, nous l'avons vu, se déplace sur le zodiaque dans le sens Bélier, Taureau, Gémeaux, etc... alors que le point vivant de la voûte céleste, ou point vernal, se déplace en sens inverse. Tous les 2160 ans ce point vivant change de constellation, ce qui coïncide avec des changements dans tous les domaines de la vie.

Sous l'influence de la nouvelle constellation, d'autres forces, d'autres courants commencent à se déverser sur l'humanité. C'est ainsi que les Initiés de l'Antiquité, qui connaissaient les influences particulières de chaque signe, étaient capables de prévoir les événements qui se produiraient lorsque le point vernal passerait dans telle ou telle constellation.

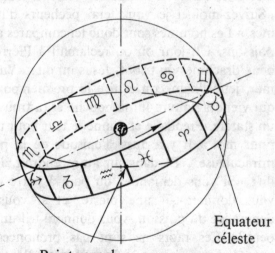

Equateur
céleste

Point vernal
aujourd'hui

Chaque religion est placée sous l'influence de deux constellations qui sont opposées sur le cercle du zodiaque. La religion chrétienne est placée sous l'influence des Poissons et du signe opposé, la Vierge. Dans les Evangiles nous

retrouvons souvent les symboles des Poissons et
de la Vierge. Le symbole de la Vierge existe
depuis des temps immémoriaux ; c'est l'image de
la nature pure, inviolée, chaste qui met au monde le Fils éternel de l'humanité, le Moi supérieur, ou comme nous disons, le Christ. Les
Poissons tiennent aussi une grande place dans
les Evangiles. Quand Jésus appela ses premiers
disciples, Pierre et André son frère, il leur dit :
«Suivez-moi et je vous ferai pêcheurs d'hommes.» Les hommes sont donc ici comparés à des
poissons. Un jour où on réclamait à Pierre les
deux drachmes du tribut, Jésus lui dit : «Va à la
mer, jette l'hameçon et tire le premier poisson
qui viendra ; ouvre-lui la bouche et tu trouveras
un statère. Prends-le et donne-le leur pour toi et
pour moi.» Il y a aussi l'épisode de la pêche
miraculeuse... Et dans un autre endroit, il est
dit : «Si vous demandez du pain à votre père,
vous donnera-t-il une pierre, et si vous lui
demandez du poisson, vous donnera-t-il un serpent ?» Ces mots ne sont pas prononcés au
hasard. Les poissons et le pain rappellent partout les signes des Poissons et de la Vierge qui,
dans le zodiaque, est représentée par une jeune
fille portant des épis de blé. Jésus disait aussi :
«Je suis le pain de vie... Je suis le pain descendu
du ciel afin que celui qui en mange ne meure
point.» Les poissons et le pain sont les symboles

essentiels du Nouveau Testament ; Jésus et ses disciples méditaient sur ces symboles.

Etudions maintenant les Poissons et la Vierge du point de vue astrologique. Le signe des Poissons est régi par Jupiter et le signe de la Vierge par Mercure. Les Anciens travaillaient avec 7 planètes (le Soleil, la Lune, Mercure, Vénus, Mars, Jupiter et Saturne) qu'ils répartissaient entre les 12 signes du zodiaque. Depuis la découverte d'Uranus, Neptune et Pluton, les astrologues modernes ajoutent aux Poissons l'influence de Neptune. Aujourd'hui, pour étudier la question qui nous intéresse, nous utiliserons seulement 7 planètes. Lorsque nous traiterons d'autres questions, nous aurons l'occasion d'en utiliser 10. De toute façon d'autres planètes sont encore à découvrir, et le choix que l'on peut faire est toujours relatif...

Mercure domine donc le signe de la Vierge et Jupiter le signe des Poissons. Mercure représente un enfant, Jupiter un homme d'âge mûr ; ils s'opposent donc par la taille, l'activité, la mentalité, etc... Toutes les planètes possèdent une influence en relation avec les différents âges de l'homme. La Lune influence la conception, la gestation, la naissance. Mercure règne sur l'enfance, Vénus sur la puberté et l'adolescence, le Soleil sur la jeunesse qui songe à fonder un foyer, à avoir une situation. Mars influence l'adulte qui lutte pour protéger son foyer. Jupiter règne sur l'âge mûr; c'est le père qui a beaucoup d'enfants qu'il comble de bienfaits et dont la situation attire le respect et l'estime. Saturne règne sur la vieillesse; c'est le vieux grand-père qui a une nombreuse famille et qui se prépare à partir pour l'autre monde.

Nous avons vu que Mercure règne dans le signe de la Vierge. Le symbole de la Vierge et de l'enfant (Mercure) que l'on retrouve dans l'image d'Isis et d'Horus, de la Vierge Marie et de Jésus, est un symbole de la pureté. Tandis que Jupiter qui est la planète de la générosité, de la bienveillance, domine dans les Poissons qui est le signe de la vie collective et du sacrifice. Vierge et Poissons, voilà l'axe du Christ. C'est sous l'influence de ces deux constellations que l'époque chrétienne a cherché à développer dans les âmes humaines les deux qualités de la Vierge et des Poissons: la pureté et l'amour pour le prochain. Jésus, né de la Vierge, s'est manifesté comme poisson. Vous savez que les premiers chrétiens n'avaient pas la croix pour symbole, mais le poisson. Jésus lui-même était appelé Ichthus (mot grec qui signifie «poisson»), car les lettres de ce mot servaient de première lettre à chacun des mots de la phrase suivante: Iêsous Christos Theou Uios Sôtêr (Jésus Christ, fils de Dieu, Sauveur).

Revenons maintenant au récit de la multiplication des poissons et des pains.

Vous savez déjà que chaque partie de notre corps est liée à une constellation du zodiaque, et d'après l'astrologie, c'est le plexus solaire qui est lié à la Vierge et les pieds aux Poissons. Comme la Vierge et les Poissons sont liés entre eux et représentent l'axe du Christ, il existe aussi un lien entre les pieds et le plexus solaire.

Le plexus solaire fait partie du système sympathique qui est un ensemble de filets nerveux, de ganglions et de plexus dont je vous donnerai un schéma très simple *(voir page 82)*.

Nous reviendrons une autre fois plus en détail sur ce sujet. Pour le moment, occupons-nous du plexus solaire. Il est situé à l'arrière de l'estomac et il est formé de cinq ganglions ordinaires et de deux ganglions dits semi-lunaires qui ont la forme de poissons. Ce sont là les cinq pains et les deux poissons mâle et femelle réunis.

Tout ce que je vous explique ici est inscrit dans le grand livre de la nature ; vous pouvez l'y retrouver vous-mêmes. Tant que l'enfant se trouve dans le sein de sa mère, il est lié à elle par le cordon ombilical. C'est par ce cordon qu'il se nourrit. La mère représente alors la nature. A la naissance, on coupe le cordon et l'enfant est ainsi séparé de sa mère. Mais il existe un autre cordon, invisible celui-là, qui lie toujours

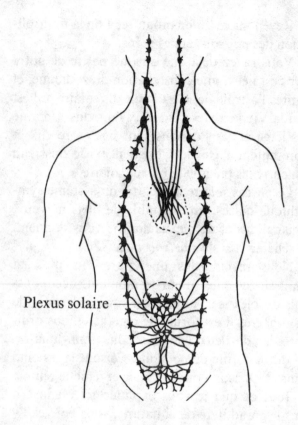

Plexus solaire

Chaîne des ganglions du sympathique

l'enfant à la grande mère Nature et qui continue
à le nourrir. Ce cordon ne doit pas être coupé
avant que l'homme soit bien préparé à sa vie
séparée. Si ce lien est coupé prématurément,
l'homme, enfant de la nature, n'est plus ali-

menté et il meurt. C'est par le plexus solaire, centre, d'après l'astrologie, lié au signe de la Vierge, que ce cordon invisible relie l'homme à la mère Nature.

Les deux ganglions semi-lunaires permettent à l'homme de voyager dans l'espace, et les cinq ganglions sont les cinq pains qui nourrissent la multitude des cellules de l'organisme. Chaque ganglion est lié à l'une des cinq vertus symbolisées par le pentagramme : la bonté, la justice, l'amour, la sagesse et la vérité*. Mercure – qui domine dans la Vierge – est représenté dans l'Evangile par l'enfant qui a apporté les pains et les poissons dont ensuite la foule s'est nourrie. Le peuple, ce sont toutes les cellules qui composent le corps physique et qui, chaque jour, sont nourries par les deux poissons et les cinq pains du plexus solaire.

Beaucoup penseront que ces explications sont purement fantaisistes et qu'elles ne correspondent pas au miracle réel qu'a fait Jésus... Je leur demanderai alors de se rapporter au texte de saint Matthieu où Jésus dit à ses disciples : «Gardez-vous avec soin du levain des pharisiens et des sadducéens.» Les disciples raisonnaient

---

* Voir : «Le langage des figures géométriques» chapitre IV (n° 218 de la collection Izvor).

entre eux et disaient : «C'est parce que nous n'avons pas pris des pains.» Jésus l'ayant connu dit : «Pourquoi raisonnez-vous en vous-mêmes, gens de peu de foi, sur ce que vous n'avez pas pris des pains? Etes-vous encore sans intelligence, et ne vous rappelez-vous plus les cinq pains des cinq mille hommes et combien de paniers vous avez emportés, ni les sept pains des quatre mille hommes et combien de corbeilles vous avez emportées? Comment ne comprenez-vous pas que ce n'est pas au sujet de pains que je vous ai parlé?»

D'autre part, saint Marc fait encore ce récit : «Le soir étant venu, la barque était au milieu de la mer et Jésus était seul à terre. Il vit qu'ils avaient beaucoup de peine à ramer car le vent leur était contraire. A la quatrième veille de la nuit environ, il alla vers eux, marchant sur la mer, et il voulait les dépasser. Quand ils le virent marcher sur la mer, ils crurent que c'était un fantôme et ils poussèrent des cris car ils le voyaient tous et ils étaient troublés. Aussitôt Jésus leur parla et leur dit : «Rassurez-vous, c'est moi, n'ayez pas peur!» Puis il monta vers eux dans la barque et le vent cessa. Ils furent en eux-mêmes tout stupéfaits et remplis d'étonnement; car ils n'avaient pas compris le miracle des pains parce que leur cœur était endurci.»

Ces deux passages montrent bien d'abord que

les poissons et les pains dont les disciples racontent la multiplication ne sont pas des poissons et des pains matériels, ensuite que ce miracle est en relation avec le pouvoir qu'avait Jésus de voyager dans l'espace (et, dans ce cas précis, sur la mer) ; et ce pouvoir étonne les disciples «parce qu'ils n'avaient pas compris le miracle des pains».

Vous commencez à comprendre plus clairement que ce récit du miracle qu'a fait Jésus en nourrissant une foule de plusieurs milliers de personnes avec deux poissons et cinq pains est un récit symbolique que l'on ne doit pas comprendre littéralement. Dans chacun de nous le plexus solaire nourrit des milliers et des milliers de cellules avec ses cinq pains et ses deux poissons. Dans un autre passage des Evangiles, il est dit : «Celui qui croit en moi, de son sein couleront des fleuves d'eau vive.» C'est encore du plexus solaire que Jésus parlait ici.

Pour que le Christ puisse nourrir cette multitude de cellules, il faut que notre conscience supérieure soit éveillée. Tous possèdent un plexus solaire, mais pour la majorité d'entre eux ce travail subtil ne s'accomplit pas à cause de la vie désordonnée qu'ils mènent, enfoncés dans la matière. Tous les hommes possèdent deux poissons et cinq pains, mais le plus grand nombre ne se nourrit que partiellement, physiquement, sans savoir que la nutrition doit aussi se réaliser dans le plan spirituel.

Si l'on comprend les choses littéralement et matériellement, Jésus n'a pas fait grand-chose. Il a nourri un jour des milliers de personnes, mais c'était dans le passé, et maintenant tout est oublié; cela n'a donc pas été tellement utile. Imaginez que quelqu'un vous donne aujourd'hui une nourriture succulente et abondante; demain vous serez de nouveau affamés et vous ne vous souviendrez même pas de ce que vous avez reçu la veille. La foule existe encore aujourd'hui et Jésus ne peut pas l'alimenter chaque jour physiquement. Il y a tant d'affamés sur la terre! Par contre, dans le plan spirituel, le Christ peut nous nourrir chaque jour. Et nous aussi, nous devons devenir comme le Christ et nourrir chaque jour notre peuple de cellules d'une vie pure et pleine d'amour.

Quant à moi, mon rôle n'est pas de vous donner de la nourriture physique parce que demain vous en réclamerez d'autre. Je vous donne beaucoup mieux: le moyen de puiser vous-mêmes à la source inépuisable de la vie qui vous rassasiera.

Certaines personnes se demandent pourquoi Jésus a souffert malgré sa pureté, son élévation, sa divinité, pourquoi il a eu des ennemis, les pharisiens, les sadducéens, et surtout Judas qui l'a trahi. L'axe Vierge-Poissons qui concerne la sixième et la douzième maison astrologique, nous l'explique. La maison VI est celle des questions de santé et de maladie, mais aussi de la pureté (la Vierge). Jésus guérissait les malades par la pureté ; il enseignait qu'on ne peut chasser les démons et commander aux esprits que par le jeûne et la prière. Jésus chassait les démons, mais ceux-ci, en quittant le malade ou le possédé, cherchaient immédiatement à entrer chez d'autres hommes susceptibles de les accueillir, et en particulier chez les pharisiens et les sadducéens, pour se venger à travers eux. En chassant ces esprits impurs, Jésus était obligé de payer les dettes karmiques des malades qu'il avait délivrés. C'est un grand sacrifice qu'il faisait ainsi. Il savait qu'il aurait à souffrir, qu'il serait trahi par Judas et crucifié, car la douzième maison astrologique, les Poissons, est celle des épreuves, des inimitiés cachées, des trahisons. Ainsi Judas était un être collectif, son rôle était nécessaire.

II

«Pendant le souper, lorsque le diable avait déjà inspiré au cœur de Judas Iscariot, fils de Simon, le dessein de le livrer, Jésus, qui savait que le Père avait remis toutes choses entre ses mains, qu'il était venu de Dieu, et qu'il s'en allait à Dieu, se leva de table, ôta ses vêtements et prit un linge dont il se ceignit. Ensuite il versa de l'eau dans un bassin, et se mit à laver les pieds des disciples et à les essuyer avec le linge dont il était ceint. Il vint donc à Simon Pierre; et Pierre lui dit: Toi, Seigneur, tu me laves les pieds! Jésus lui répondit: Ce que je fais, tu ne le comprends pas maintenant, mais tu le comprendras bientôt. Pierre lui dit: Non, jamais tu ne me laveras les pieds. Jésus lui répondit: Si je ne te lave, tu n'auras point de part avec moi. Simon Pierre lui dit: Seigneur, non seulement les pieds, mais encore les mains et la tête. Jésus lui dit: Celui qui est lavé n'a besoin que de laver ses pieds pour être entièrement pur...»

Saint Jean 13 : 1-17

Ce passage des Evangiles est très connu, tout le monde a été étonné par ce geste que Jésus accomplit au cours du dernier repas qu'il prit avec ses disciples, et on l'a toujours interprété comme une leçon d'humilité qu'il aurait voulu leur donner. Cette interprétation est exacte mais incomplète, et je voudrais ajouter encore quelques explications.

Donc, Jésus se leva, prit un linge et commença à laver les pieds de ses disciples. Or, Pierre refusa d'abord de se laisser laver les pieds par son Maître, mais Jésus lui dit : «Ce que je fais, tu ne le comprends pas maintenant, mais tu le comprendras bientôt.» Ce qui prouve bien que ce geste a un sens plus profond qu'il ne paraît au premier abord. Jésus a donné à ses disciples de nombreuses explications qui n'ont pas été rapportées. La preuve, c'est qu'à la fin de son Evangile, saint Jean dit que si on devait écrire toutes les paroles et tous les actes de Jésus, le monde entier ne suffirait pas pour contenir les livres que l'on écrirait.

Quand je vous ai expliqué le miracle de la multiplication des deux poissons et des cinq pains avec lesquels Jésus a nourri cinq mille personnes, je vous ai dit que l'ère chrétienne est placée sous l'influence des Poissons et du signe opposé, la Vierge. Jésus est né de la Vierge, et il représente les Poissons. Dans le lavement des

pieds nous allons retrouver cet axe Vierge-
Poissons mais d'un autre point de vue.

D'après la tradition astrologique, dans le
corps humain, les pieds correspondent à la constellation des Poissons, le plexus solaire à celle de
la Vierge. Si Jésus a lavé les pieds de ses disciples, c'est pour leur montrer cette liaison très
importante qui existe entre les pieds et le plexus
solaire.

Bien sûr, par ce geste il voulait dire: «Je
vous donne un exemple. Plus tard vous devrez, à
votre tour, montrer la même humilité et le
même désintéressement envers les autres», et
d'ailleurs il a aussi lavé les pieds de Judas dont il
savait pourtant qu'il l'avait déjà trahi. Symboliquement on peut dire que celui qui renonce à se
venger des êtres qui lui ont fait du mal, leur lave
les pieds. Mais en lavant les pieds de ses disciples, Jésus voulait surtout éveiller en eux les forces constructives du plexus solaire.

Dans certaines circonstances très simples de
la vie courante, certains d'entre vous ont sans
doute remarqué l'existence de cette liaison entre
les pieds et le plexus solaire. Lorsque vous avez
très froid aux pieds, vous sentez une contraction
dans le plexus solaire, et si vous mangez à ce
moment-là, la digestion se fait mal. Par contre,
si vous trempez vos pieds dans l'eau chaude,
vous constatez que vous éprouvez une dilatation

dans le plexus solaire, une sensation très agréable qui vous met dans de bonnes dispositions. C'est pourquoi, si vous vous sentez troublés ou contractés, préparez consciemment de l'eau chaude, plongez-y vos pieds et commencez à les laver avec attention : vous agissez ainsi sur le plexus solaire en lui donnant des forces, et votre état de conscience en sera immédiatement transformé. Si un jour, chez vous, vous n'arrivez pas à méditer, prenez un bain de pieds et vous verrez que vous aurez beaucoup plus de facilités pour vous concentrer.

Il n'est pas nécessaire de plonger les pieds dans l'eau pendant très longtemps, mais on peut leur parler en les lavant doucement : «Mes chers pieds, je comprends maintenant tous les services que vous me rendez. Jamais je ne fais attention à vous qui supportez le poids de mon corps et me conduisez partout où je veux aller. Désormais je vous serai plus reconnaissant de votre humilité et de votre patience.» Les pieds sont pour certaines cellules une école où elles doivent faire un stage. Les cellules des pieds sont des êtres vivants et un jour ces êtres passeront des examens. Quand ils réussiront, l'Intelligence cosmique leur dira : «Vous pouvez maintenant monter plus haut», et ils monteront dans les poumons, dans le cœur, dans le cerveau, pour continuer leur évolution. Ces êtres sont actuellement

dans les pieds, car dans le passé ils ne possé-
daient ni l'humilité ni la bonté, et on les a donc
placés là pour apprendre ces vertus.

Il en est de même dans la vie des hommes.
Tous ceux qui sont durs, orgueilleux, méchants,
seront envoyés par la destinée dans des peuples
ou des familles qui doivent servir et souffrir afin
d'apprendre la loi de la justice, de l'humilité et
du sacrifice. Ainsi parle la Science initiatique,
qu'on la croie ou non.

Nous ne devons jamais oublier que c'est par
les pieds que nous sommes sans cesse en contact
avec la terre et les courants telluriques. Les pieds
sont comme des antennes. Mais les courants
électriques et magnétiques qui montent de la
terre ou descendent vers elle ne circulent norma-
lement dans les pieds qu'à condition de ne pas
être arrêtés par des couches fluidiques impures ;
c'est pourquoi il est bon de se laver les pieds
chaque soir.

Pierre a d'abord refusé que Jésus lui lave les
pieds ; mais ensuite il voulait qu'il lui lave même
les mains et la tête, et Jésus lui dit : «Celui qui
est lavé n'a besoin que de laver ses pieds pour
être entièrement pur.» Les pieds étant la partie
du corps la plus en contact avec la terre, ils
représentent donc le plan physique que l'on doit
dépasser pour avoir accès aux plans supérieurs.
C'est pourquoi si on se lave les pieds en se con-

centrant consciemment sur les centres situés dessus et dessous, on travaille à cette libération du
plan physique. Avez-vous réfléchi pourquoi le
dieu Hermès était représenté avec des ailes aux
talons? Hermès était le messager des dieux et ses
ailes étaient le symbole de son pouvoir de voyager dans l'espace. Mais les ailes des talons d'Hermès doivent être aussi interprétées comme une
représentation des centres spirituels, des chakras
que l'être humain possède dans ses pieds. Si ces
centres sont éveillés, l'homme a la possibilité de
se transporter dans l'espace et dans les plans
subtils.

D'ailleurs rappelez-vous ce que je vous ai dit
à propos du plexus solaire dans la conférence:
«Les mystères des deux poissons et des cinq
pains.» Ce miracle de la multiplication des
pains est en relation avec le pouvoir qu'avait
Jésus de voyager dans l'espace; en effet, saint
Marc, qui raconte comment Jésus est arrivé jusqu'à la barque en marchant sur les eaux, dit:
«Ils furent en eux-mêmes tout stupéfaits et remplis d'étonnement car ils n'avaient pas compris
le miracle des pains.» Cette remarque souligne
combien la correspondance entre les pieds et le
plexus solaire est liée à la possibilité de voyager
dans l'espace.

Les pieds symbolisent donc le plan physique; or, c'est là, dans le plan physique, que nous

sommes toujours victimes, parce que le plan
physique est en relation avec le plan astral qui
représente le monde souterrain, les enfers. Ainsi
les pieds représentent l'endroit où l'homme est
vulnérable. Cette idée est exprimée dans la
mythologie grecque par la légende du talon
d'Achille. Pour le rendre invulnérable sa mère
Thétis avait, à sa naissance, plongé Achille dans
les eaux du Styx, mais comme elle le tenait par
le talon, cette partie du pied qui n'avait pas été
trempée, resta vulnérable; et c'est ainsi que pendant la guerre de Troie Achille mourut d'une
flèche empoisonnée qu'il reçut au talon. Vous
comprenez maintenant le sens du geste et des
paroles de Jésus : «Celui qui est lavé n'a besoin
que de laver ses pieds pour être entièrement
pur.» Puisque les pieds sont le symbole du plan
le plus matériel, se laver les pieds représente le
terme de la purification.

Depuis des temps immémoriaux les sages ont
découvert les correspondances qui existent entre
le microcosme et le macrocosme. Cette science
des correspondances révèle que non seulement
le corps de l'homme est en relation avec les
constellations du zodiaque (la tête avec le Bélier,
le cou avec le Taureau, etc...) mais que chaque
partie elle-même est en relation avec l'ensemble
de l'organisme, avec l'univers, avec les forces et
les qualités de l'âme. On a étudié ces relations

pour les mains, mais elles existent aussi pour les pieds. Les pieds possèdent des points précis liés aux autres organes du corps, et en agissant sur ces points on peut guérir certains troubles dans les autres organes.

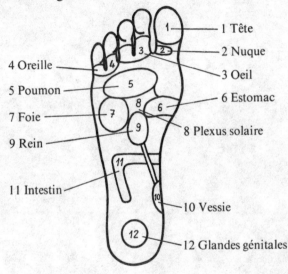

Principales zones-réflexe du pied

Vous le voyez, ce geste de Jésus lavant les pieds de ses disciples a une signification beaucoup plus profonde que celle qu'on y avait vue jusque-là. Réfléchissez à tout ce que je vous ai dit, faites un travail spirituel avec les pieds et le plexus solaire et vous sentirez bientôt toutes les bénédictions que vous apporteront ces pratiques.

VII

L'AXE LION-VERSEAU

I

On assimile souvent le froid au mal, à tout ce qui est négatif, mauvais, à ce qui contracte, paralyse, tandis que la chaleur symbolise ce qui est bon, beau, vivant. La réalité est beaucoup plus complexe.

Ce qu'il faut d'abord comprendre, c'est qu'il existe deux espèces de chaleur et de froid. Il y a la chaleur qui dilate, vivifie, fait mûrir, et la chaleur qui brûle, détruit, ne laissant que des cendres. Il y a le froid qui conserve tout ce qui est bon et réalise d'excellentes conditions pour la sagesse, la pensée, et le froid qui paralyse toute vie. C'est donc ces deux espèces de chaud et de froid que nous devons étudier.

Il y a une chaleur qui vient du Soleil, et une autre qui vient de Mars. Il y a un froid qui vient de Saturne, et un autre de la Terre. Le Soleil représente la chaleur vivifiante et Mars la chaleur destructrice. Saturne, c'est le froid de la méditation, de l'intelligence, de la sagesse, et la Terre le froid de la séparation, de la mort.

Lorsqu'Adam et Eve vivaient dans le jardin d'Eden, ils se nourrissaient de fruits de l'Arbre de la Vie qui leur communiquaient une chaleur vivifiante. Ensuite, quand ils ont voulu manger des fruits de l'Arbre de la Connaissance du Bien et du Mal, ils sont descendus sur la terre où règne le froid de la séparation, de la haine, de la mort, et ils s'y trouvent encore! Dans la chaleur ils étaient comme des cellules liées ensemble, ainsi que le sont les atomes animés d'un même mouvement au sein d'une molécule gazeuse. Mais, une fois sur la terre, ils ont été saisis par le froid qui les a glacés, pétrifiés, et quand ils se sont regardés, ils se sont sentis séparés. Tous les malentendus entre les hommes proviennent de cette séparation des consciences. Si on descend dans le froid de la terre, on ne comprendra jamais l'autre froid, celui de la sagesse.

Le froid est donc représenté par Saturne et la Terre, et la chaleur par le Soleil et Mars. «Et le tiède?» direz-vous. Le tiède, c'est la Lune. En effet, tout ce que la Lune touche est indéterminé, fade, insipide. C'est pourquoi les hommes qui sont sous l'influence de la Lune, sont indolents, irrésolus, flous, rêveurs. Vous connaissez certainement ce passage de l'Apocalypse où l'Esprit dit à l'Eglise de Laodicée: «Ainsi, puisque tu es tiède et que tu n'es ni froid ni chaud, je te vomirai de ma bouche.» Oui, parce que si un homme est tiède, on ne peut pas compter sur lui, il est toujours dans le vague, il ne comprendra jamais la vérité, et il ne formera jamais quelque chose de solide, de stable.

Les expériences scientifiques qui ont été faites montrent qu'on n'a pas pu encore découvrir le point limite de la chaleur alors que pour le froid la limite est −273° C., qu'on n'a d'ailleurs jamais pu atteindre. Il existe dans la nature une force qui empêche d'atteindre le zéro absolu. Dieu a mis dans chaque chose, dans chaque être, une étincelle du feu créateur, et alors même que tous se réuniraient pour éteindre cette étincelle, ils ne pourraient jamais y parvenir. C'est la puissance du feu créateur, du Dieu immortel à l'intérieur de chaque chose, qui agit là.

Combien de fois déjà le froid a tenté d'éteindre cette étincelle, mais sans y parvenir ! La haine, la jalousie, le doute, l'orgueil, la crainte, la peur, qui sont une forme du froid et de la mort, ont essayé des millions de fois d'éteindre l'étincelle de vie, la lumière qui est dans le monde. Ils n'y sont jamais parvenus. Jamais on n'a pu étouffer cette lumière divine qui brille sur la terre. Jamais l'être humain ne pourra détruire complètement ce bien qui se trouve en lui. Tous doivent le savoir afin de ne pas perdre leur temps à essayer d'étouffer l'étincelle divine en eux ou dans les autres, mais au contraire travailler à l'alimenter.

Maintenant voyons comment on peut se réchauffer ou se refroidir. Je parle ici du bon côté de la chaleur et du froid... Pour se refroidir il faut monter sur les sommets, c'est-à-dire devenir un sage, un philosophe, un savant. Pour se réchauffer, il faut descendre un peu dans les vallées, aller auprès des fleurs, des rivières, des arbres, et de ses frères et sœurs humains. On se réchauffe par l'amour, et par la sagesse on se refroidit. Observez ceux qui pensent beaucoup, ils sont froids. Et d'ailleurs vous pouvez observer vous-mêmes que si vous méditez longtemps, vous finissez par avoir froid. Tandis que si vous ressentez de l'amour pour quelqu'un ou pour quelque chose, vous vous sentez rapidement réchauffés. En hiver, lorsque vous voulez lutter contre le froid, appelez à vous l'amour, la joie, la dilatation. Lorsque vous êtes mécontents, vous sentez le froid alors même que vous êtes devant un poêle rougi. C'est cela le froid inférieur de la Terre et de la mort.

Revenons au zodiaque et nous verrons comment cette question du chaud et du froid est en relation avec l'axe Verseau-Lion.

S'adressant toujours à l'Eglise de Laodicée, l'Esprit ajoute : «Tu n'es ni froid ni chaud... Je te conseille d'acheter de moi de l'or éprouvé par le feu, afin que tu deviennes riche, et des vêtements blancs, afin que tu sois vêtu et que la honte de ta nudité ne paraisse pas, et un collyre pour oindre tes yeux, afin que tu voies. Moi, je reprends et je châtie tous ceux que j'aime.» Vous allez voir maintenant que ce passage peut être interprété grâce à l'axe Verseau-Lion.

La constellation du Lion représente le feu créateur. C'est la maison du Soleil, de la plus forte chaleur, celle des mois de juillet et août. Le Lion représente le cœur, le cœur cosmique, qui donne le sang, la vie. C'est bien la cinquième maison, celle de l'amour, de la création, des enfants. A l'autre extrémité de l'axe, le Verseau est régi par Saturne qui règne sur l'hiver. Le Verseau est représenté par un vieillard, Saturne (bien que Saturne ne soit pas le seul maître du Verseau, il y a aussi Uranus) qui possède la sagesse, et qui, symboliquement, verse de l'eau pour abreuver l'humanité. Les deux pôles de l'axe sont donc l'amour et la sagesse, la chaleur et le froid, les vallées et les sommets. «Tu n'es ni froid ni chaud» signifie tu n'as ni amour ni sagesse.

Voyons maintenant ce que signifient l'or, les vêtements blancs et le collyre.

«De l'or éprouvé par le feu»: d'après l'alchimie l'or est lié au soleil, il est la condensation des forces bénéfiques, des rayons du soleil. Or, le Lion représente l'or passé au feu et purifié : l'amour spirituel qui purifie tout. D'ailleurs, l'étymologie souligne ces correspondances. En hébreu, le cœur se dit «lèv» et le lion «lavi»; en bulgare et en russe, le lion se dit «lèv» et l'amour «lioubov», racine que l'on retrouve dans l'anglais «love»: l'amour, et l'allemand «Liebe»: l'amour et «Löwe»: le lion.

«Des vêtements blancs»: ces vêtements blancs sont un symbole de la pureté, la pureté étant comprise comme cette absence de passion que donne la sagesse.

«Un collyre pour oindre tes yeux»: le collyre, c'est Uranus, la vérité qui est liée aux yeux. Dans les anciennes initiations Uranus était représenté sous la forme d'un œil volant au-dessus d'un océan. C'était là son symbole. Ne pensez pas que les Anciens ignoraient l'existence d'Uranus et que cette planète n'a été découverte que par Herschell. Les Anciens la connaissaient, mais ils l'appelaient le Ciel (en grec Ouranos signifie ciel).

Ainsi, le soleil nous apporte la vie, l'amour. Saturne nous apporte la sagesse pour nous vêtir, et Uranus nous permet de voir la vérité. C'est pourquoi l'axe Verseau-Lion, qui agira désormais dans le monde, puisque nous entrons dans l'ère du Verseau, représente l'époque nouvelle où les disciples et les enfants de Dieu travailleront avec l'amour du Soleil (Lion), avec la sagesse de Saturne (Verseau) et vivront dans la vérité apportée par Uranus.

L'époque Verseau-Lion sera celle de l'amour, de la sagesse, et dans une certaine mesure, de la vérité. Mais la véritable époque de la vérité viendra plus tard, dans la sixième et la septième race, quand l'homme réalisera la synthèse parfaite de l'amour et de la sagesse, alors la vérité s'établira en plénitude.

Bien que l'église de Laodicée se croie riche («Tu dis : je suis riche, je me suis enrichi et je n'ai besoin de rien») l'Esprit qui la sait misérable, pauvre, aveugle et nue, lui conseille d'acheter de l'or, des vêtements blancs et un collyre pour les yeux. Cela prouve qu'en dehors de cet axe Verseau-Lion on ne peut obtenir ni l'amour, ni la sagesse, ni la vérité, c'est-à-dire qu'on restera pauvre, nu et aveugle.

Donc, celui qui est froid doit savoir aussi devenir chaud, et inversement. Par ce passage d'un pôle à l'autre, il retrouve l'équilibre, il découvre la vie qui se trouve dans ce mouvement de montée et de descente. Celui qui reste éternellement dans le froid ou dans la chaleur n'évolue pas, tout est fini pour lui. Comment procédez-vous lorsque vous voulez faire cuire vos légumes ? Vous placez la casserole sur le feu,

mais au bout d'un moment vous la retirez. Pourquoi ne laissez-vous pas tout brûler? Parce que
vous êtes sage. Si vous ressentez de l'amour pour
quelqu'un, c'est bien ; mais la sagesse vous dit de
ne pas aller très loin, car ce n'est pas souhaita-
ble. Si la chaleur monte en vous à cause de quelqu'un, ne laissez pas la casserole sur le feu!
Vous me comprenez, n'est-ce pas?... La chaleur
(l'amour) est bienvenue, mais à condition qu'elle
soit suivie d'un petit rafraîchissement (la sagesse).

L'Esprit dit encore à l'église de Laodicée :
«Ceux que j'aime (Lion), je les réprimande et je
les châtie (Verseau).» Celui qui aime, c'est le
Soleil ; celui qui châtie, c'est Saturne, mais aussi
Uranus qui amène de grands bouleversements.
Si le Ciel, qui nous aime, nous châtie, il le fait au
travers de la destinée, sur laquelle règne Saturne.
Lorsque nous voyons arriver les châtiments de
Saturne, sachons que c'est Dieu qui se manifeste
à travers lui. Pour être aimé, nous devons être
dans le Lion et dans le Verseau, entre Saturne, le
vieil Adam, et le Soleil, le Christ, celui qui est né
de la tribu de Juda. Jacob, en effet, avait douze
fils, qui furent les ancêtres des douze tribus
d'Israël.* Chacune de ces tribus est liée à un des

---

* Voir chapitre X : «Les 12 tribus d'Israël et les 12 travaux
d'Hercule en relation avec le zodiaque».

signes du zodiaque, celle de Juda correspond au Lion, et c'est de la tribu de Juda qu'est né Jésus, le Christ.

L'Esprit dit enfin : «Celui qui vaincra, je le ferai asseoir avec moi sur mon trône, comme moi j'ai vaincu et me suis assis avec mon Père sur son trône.» Il n'y a pas d'autre trône que celui du Lion où est assis le Soleil, le Christ. Le Christ, c'est le Soleil, le cœur qui répand son sang, son amour, dans tout l'univers. Donc, celui qui vaincra la haine et la mort (le froid intérieur) dominera sur le Trône de Dieu.

Le Sphinx des Egyptiens est une représentation du zodiaque en relation avec les quatre éléments; il possède une tête d'homme (Verseau, signe d'air), un corps de taureau (Taureau, signe de terre), des pattes de lion (Lion, signe de feu) et des ailes d'aigle (Scorpion, signe d'eau).

On retrouve les mêmes figures dans l'Apocalypse de saint Jean lorsqu'il parle des quatre Animaux saints qui se tiennent devant le Trône de Dieu et qui, jour et nuit, ne cessent de chanter: «Saint, Saint, Saint est le Seigneur Dieu Tout-Puissant, qui était, qui est et qui vient!» Le premier de ces Animaux est semblable à un lion, le deuxième à un taureau, le troisième à un homme, et le quatrième à un aigle. Vous direz que dans le zodiaque, il n'y a pas l'Aigle mais le Scorpion. En réalité, dans le zodiaque primordial, l'Aigle occupait la place du Scorpion, mais c'est toute une histoire qu'il faut comprendre d'un point de vue symbolique. A cause des forces sexuelles mal dirigées, l'Aigle est tombé et s'est transformé en Scorpion. D'ailleurs, dans les correspondances que les Initiés ont établies entre les différentes parties du corps et les signes du zodiaque, c'est le Scorpion qui est en correspondance avec les organes génitaux. L'Aigle représente celui qui pouvait s'élever très haut dans le ciel, mais qui est tombé parce qu'il a mangé du fruit de l'Arbre de la Connaissance du Bien et du Mal.

Les quatre Animaux saints comme le Sphinx des Egyptiens correspondent donc aux deux axes Taureau-Scorpion* et Verseau-Lion qui forment une des croix du zodiaque.

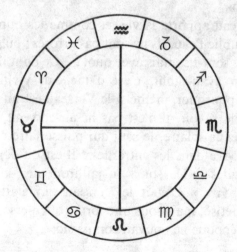

* Voir le chapitre «Les axes Bélier-Balance et Taureau-Scorpion».

Le Verseau, c'est l'homme, donc la pensée, le savoir. Il est représenté par un vieillard qui verse l'eau d'une urne. Cette eau, c'est l'eau de la vie, car le savoir du Verseau est un savoir qui apporte la vie, qui produit la vie, qui éveille la vie. L'eau qui s'échappe de l'urne du vieillard enseigne aux humains qu'ils doivent tout alimenter, arroser et faire fructifier en eux et autour d'eux. Le symbole de notre Fraternité, l'ancre avec les deux mains qui versent de l'eau, est aussi un symbole du Verseau. Et dans la mythologie grecque, le Verseau est représenté par Ganymède que l'on appelait «l'échanson des dieux».

L'eau apporte la vie, et comme les humains ont oublié l'eau, ils ne sont pas arrosés ; ou peut-être le sont-ils, mais avec quoi ?... Ce dont ils ont besoin avant tout, c'est d'une eau vivifiante. C'est pourquoi, même si le Verseau est un symbole du savoir, il n'est pas lié au cerveau, mais au plexus solaire, le seul qui puisse faire couler l'eau vive dans les entrailles.* Il est dit dans les Evangiles : «De son sein jailliront des sources d'eau vive.» C'était le Verseau qui était déjà prophétisé, mais sous une forme que personne à cette époque ne pouvait comprendre.

---

* Voir «Centres et corps subtils», chapitre III : «Le plexus solaire» (n° 219 de la collection Izvor).

Tant que l'eau vive n'est pas là, on peut raconter ce que l'on veut, ce n'est que de la théorie, et la théorie dessèche les humains. C'est ce qui se passe avec la culture actuelle : les humains s'instruisent, mais leur savoir reste à la surface, il n'est pas vivant. Eh bien, il vaut mieux ne rien savoir de ce qui se trouve dans les livres, mais posséder la science de la vie, car celui qui sait vivre, c'est-à-dire vibrer à l'unisson, en harmonie avec toutes les lois cosmiques, l'univers entier se révélera devant lui. Voilà pourquoi l'Enseignement de la Fraternité Blanche Universelle apporte un élément tout à fait nouveau. Les humains nous présentent leur science, et je m'incline, je suis émerveillé, mais ce n'est pas l'essentiel. Moi, ce qui m'intéresse, c'est de vivre en harmonie avec les lois cosmiques.

Depuis des années déjà, des astrologues, des ésotéristes parlent de la venue de l'ère du Verseau. En réalité, il faut attendre encore deux cents ans environ avant que le point vernal entre vraiment dans la constellation du Verseau, mais son influence se fait déjà sentir, et c'est normal. Au mois de mars, par exemple, c'est encore l'hiver, et pourtant certains jours, à cause du soleil, des oiseaux, des fleurs, on sent le printemps ; par ses effluves, son aura, ses émanations, il est là. Il en est de même à l'approche d'une ère nouvelle : un certain nombre de signes avant-coureurs annoncent sa venue.

Le Verseau est un signe d'air. C'est pourquoi depuis que son influence se fait sentir, la science et les techniques se sont orientées vers la maîtrise de l'air et de l'espace. Pendant l'ère des Poissons, c'est surtout le domaine de l'eau qui avait été exploré : la navigation. Avec le Verseau, on entre dans le domaine de l'air : les télécommunications (le téléphone, la télévision), les avions, les fusées...

Bien que nous ne soyons pas encore tout à fait entrés dans le Verseau, que de changements ! Et justement, ce qui est un peu inquiétant avec lui, c'est l'influence de Saturne et Uranus dont il est le domicile : Saturne qui brime, bloque, paralyse, et Uranus qui produit des chocs, des accidents, des explosions, tout ce qui est brusque et violent. Toutes les formes d'explosions sont sous le signe d'Uranus : explosions physiques (bombes à hydrogène, bombes atomiques) et explosions psychiques (tous les mouvements de libération). C'est pourquoi l'ère du Verseau entraînera de grandes ruptures.

Ceux qui ont plusieurs planètes dans le signe du Verseau sont particulièrement préparés à capter les nouvelles ondes qui viennent de cette constellation. Ce sont des novateurs, des inventeurs. Toutes les découvertes dans le domaine psychique et ésotérique, c'est aussi le Verseau qui en est la cause, et surtout l'idée de collectivité, de fraternité. Voilà pourquoi le monde entier va maintenant être obligé de se pencher et de travailler sur cette idée de fraternité, d'universalité.

L'ère des Poissons a été celle du christianisme, dont les traits caractéristiques correspondent exactement au signe des Poissons, le signe de l'abnégation et du sacrifice. Avant l'ère des Poissons, celle du Bélier avait marqué la religion de Moïse, et avant elle l'ère du Taureau les religions égyptienne, babylonienne... Avec le Verseau et son signe complémentaire, le Lion, s'ouvre une ère nouvelle, celle du vrai savoir.

Pourtant, il ne faut pas croire que, parce que vient l'époque du Verseau, toute l'humanité va soudain se transformer. Ce qui est changé pour tous, ce sont les possibilités. Du Verseau se déverseront des forces supérieures, mais seuls ceux qui font des efforts pour absorber ces forces se transformeront. Le Ciel nous enverra des ondes, mais il ne nous imposera pas la sagesse ; le Ciel se contente de donner à celui qui s'est préparé à recevoir. Nous entrons dans l'époque du Verseau, mais si nous ne faisons rien pour bénéficier de ses influences, le Verseau viendra pour les autres, mais pas pour nous.

VIII

LES TRIANGLES DE L'EAU ET DU FEU

Le cercle du zodiaque est formé de douze signes disposés dans un ordre régulier ayant pour base les quatre éléments. Chaque élément est ainsi représenté par un triangle.

.... Feu   ----- Eau
.—.—. Air   —— Terre

Si nous respectons l'ordre des éléments (feu, terre, air et eau) dans lequel les signes se succèdent sur le zodiaque, nous voyons que le triangle du feu est formé des signes Bélier, Lion, Sagittaire ; le triangle de la terre des signes Taureau, Vierge, Capricorne ; le triangle de l'air des signes Gémeaux, Balance, Verseau ; le triangle de l'eau des signes Cancer, Scorpion, Poissons. Mais aujourd'hui nous nous arrêterons particulièrement sur les deux triangles de l'eau et du feu. L'eau descend et le feu monte. Le triangle de l'eau, la pointe en bas, représente la matière, tandis que le triangle du feu, la pointe en haut, représente l'esprit.

Commençons par étudier le triangle de l'eau qui est donc formé des signes Poissons, Cancer et Scorpion ; vous allez voir combien de choses intéressantes nous allons découvrir en liant ces trois signes.

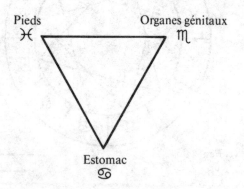

Les poissons vivent dans l'eau et s'y déplacent avec une parfaite aisance : ils vont, viennent et sont très heureux. Les hommes, eux aussi, sont plongés dans une étendue sans limites où ils nagent comme des poissons ; petits ou gros, beaux ou laids, colorés ou ternes, habiles ou maladroits, les gros avalant souvent les petits, ils se meuvent dans l'océan de la vie.

Les poissons possèdent dans leur corps une vessie natatoire qui leur sert à se déplacer verticalement dans l'eau ; c'est grâce à cet organe qu'ils peuvent descendre puis remonter vers la surface. Mais voici que certains spécimens n'ayant pas usé correctement de cette vessie, ont commencé à descendre toujours plus bas sans jamais pouvoir remonter. Ils restent donc fixés au sol où ils se recouvrent d'une épaisse carapace, et ils deviennent des langoustes, des homards, des crabes. Bien sûr, vous pensez : « Mais cela n'est pas possible, ce n'est pas scientifique. Jamais les zoologues n'ont pu constater que des poissons se soient transformés en crustacés ! » Eh bien, figurez-vous que moi, ce sont les humains que j'ai observés en zoologue (et il y a de quoi observer, croyez-moi) ; c'est ainsi que j'ai assisté très souvent à cette mutation. Oui, des gens qui se sont tellement durcis qu'ils ont fini par être recouverts d'une véritable carapace. Ils s'étaient dit : « Pas la peine de nager, c'est fatigant. Mieux vaut ramper sur le sol, restons au fond.» Et même, ils ne marchaient plus en avant, ils allaient à reculons. Vous ne me croyez pas? Et pourtant, combien j'en ai vus qui, fiers de leurs belles écailles, paradaient devant les autres, les recherchaient ou les poursuivaient, ce qui donnait toutes sortes de comédies... ou de tragédies! Puis, le moment venait où, alourdis, ils s'enfonçaient très bas pour finir par se cacher sous une pierre, comme des écrevisses. Je pourrais vous en montrer autour de vous, de ces poissons métamorphosés, il y en a beaucoup.

Poissons-Cancer: c'est une partie du triangle que nous étudions. Le Cancer est un poisson devenu crustacé. L'homme s'est laissé entraîner dans la matière et il s'est durci, immobilisé, pétrifié, et il finit même par régresser. Le processus se poursuivant, l'écrevisse deviendra un scorpion, méchant, venimeux, et là aussi, je peux vous dire comment cela se produit, car c'est encore une transformation que j'ai étudiée scientifiquement.

C'est Jupiter qui dirige les Poissons, et la Lune domine le Cancer. Quant au Scorpion, il est régi par Mars. Les jupitériens sont portés à la gourmandise, s'ils mangent beaucoup, ils prennent de l'embonpoint et deviennent de plus en plus passifs, de sorte qu'ils refusent bientôt de se déplacer. Ils désirent aussi gagner beaucoup d'argent pour pouvoir s'établir confortablement. Installés dans une grande maison, ils s'y incrustent ; leur seule occupation est d'échafauder des projets pour gagner davantage et de se tourmenter pour ce qu'ils risquent de perdre. Les voilà devenus écrevisses, et ils ne vont pas tarder à se transformer en scorpions.

Sous le signe des Poissons, qui sont liés aux pieds, l'homme marche pour se rendre à son travail. Sous le signe du Cancer, il se laisse aller à la paresse, à la gourmandise, et cela trouble le fonctionnement de son système éliminatoire qui est en relation avec le Scorpion : les matières s'accumulent dans les tissus, provoquant des putréfactions. Son organisme ainsi envahi par les poisons, les toxines, il devient irritable, colérique, vindicatif : il est sous l'influence de Mars, maître en Scorpion.

Eh oui, vous êtes étonnés, mais cette histoire est absolument véridique : elle raconte le processus de l'involution, c'est-à-dire la descente dans la matière. L'homme qui perd sa capacité de nager dans l'océan de la vie est pris dans les pièges de la matière où peu à peu il se paralyse, tombe malade et meurt. Ce déroulement des choses, est-il inévitable ? Non, il existe des moyens d'agir. Lorsque nous nous trouvons dans ce triangle de l'involution, il existe trois forces qui peuvent nous secourir et nous sauver :

ce sont l'amour, l'espérance et la foi. La foi qui
est capable d'opérer les transformations les plus
difficiles est liée aux Poissons, signe de la religion et du mysticisme. L'espérance, qui soutient
les êtres, est liée au Cancer, signe de l'abondance
et de la fécondité. Et l'amour est lié au Scorpion,
signe de la transformation de la force sexuelle ;
car par amour, j'entends cette force instinctive,
formidable, que l'homme peut sublimer en
amour universel prêt à se sacrifier pour tous. Par
la puissance de ces trois vertus : la foi, l'espérance et l'amour, nous pouvons arrêter ce processus de pétrification, de descente dans la
matière.

Quand un homme tombe à l'eau, il doit
nager. S'il doute, s'il a peur, il coule et se noie.
S'il a la foi, il fait la planche, il est léger, l'eau le
soutient. Il en va de même dans notre vie inté-
rieure. Nous sommes des poissons pourvus
d'une vessie natatoire. Lorsque nous avons la
foi, elle se remplit d'air et nous devenons légers :
la foi nous soutient, elle nous permet de nager
dans cet océan qu'est la vie. Celui qui nage bien
n'a rien à craindre, il ne deviendra pas une écrevisse. Tant que la foi le dilate, il reste un poisson. Mais si un jour, obnubilé par les affaires
matérielles, il accueille le doute, il deviendra
une écrevisse. Celui qui tombe dans la matière
est déjà un cancer, et il doit réagir par l'espé-

rance. Celui qui est en train de devenir un scorpion doit se libérer par l'amour, l'amour qui donne, enrichit, rayonne.

Pourquoi la douzième maison, celle des Poissons, nous impose-t-elle des épreuves ? Pour que les chagrins, les contraintes augmentent notre foi. Pourquoi le Cancer, la quatrième maison, nous place-t-elle devant des problèmes matériels ? Pour nous obliger à entretenir en nous l'espérance. Pourquoi la huitième maison, celle du Scorpion, représente-t-elle la mort ? Parce que la mort guette celui qui ne sait pas aimer.

Etudions maintenant le triangle du feu. Il comprend les signes du Sagittaire, du Lion et du Bélier. Le Bélier qui régit la tête représente la pensée, la sagesse ; le Lion qui régit le cœur représente le sentiment, l'amour ; et le Sagittaire qui régit les cuisses représente le mouvement,

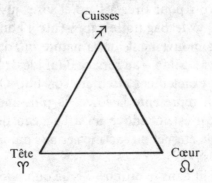

donc l'action, la réalisation des pensées et des sentiments dans la matière.

D'un autre point de vue, on interprète le Sagittaire comme le symbole de l'homme qui est parvenu à faire triompher la raison sur les forces obscures de l'instinct. Cette idée est aussi exprimée par la figure mythologique du Centaure dont le corps de cheval était surmonté par un buste d'homme. L'être humain est fait de deux natures : inférieure et supérieure ; il ne peut pas se débarrasser de sa nature inférieure, mais il doit apprendre à la maîtriser pour la mettre au travail. D'ailleurs, regardez : dans la représentation même du Centaure ou du Sagittaire, le corps de cheval est en mouvement, il court. Mais cette course n'est pas sans raison, elle a un sens, elle est au service d'une action réfléchie, exprimée par l'arc que tient le Centaure prêt à lancer une flèche. Vous savez quelle maîtrise il faut avoir pour tirer à l'arc et viser juste. C'est ainsi que le Sagittaire représente l'homme qui met les mouvements de sa nature inférieure – le cheval au galop – au service d'un idéal : la flèche qui va exactement atteindre son but. Quant au Lion, il représente la force, la puissance. Et le Bélier, il est identique ici à l'agneau qui est le symbole éternel du sacrifice et de l'amour. C'est le Christ.

On lit dans le prophète Isaïe qu'un jour vien-

dra où on verra le loup et l'agneau paître ensemble. Le loup c'est le Bélier des astrologues, car le
loup est aussi sous l'influence de Mars qui régit
ce signe, et l'agneau, je vous l'ai dit, représente
le même symbole que le Bélier. Isaïe dit encore :
«Le lion mangera l'herbe comme le bœuf... et la
poussière sera la nourriture du serpent», qui est
le scorpion en langage astrologique (nous venons
de l'étudier dans le triangle de l'eau), et il parle
«des hommes et de leurs enfants qui seront avec
eux». Donc, le lion, l'agneau et l'homme vivront
ensemble dans la paix. Certains artistes ont
peint des tableaux représentant l'Age d'Or où
l'on voit un enfant marchant entre un lion et une
brebis. Ces artistes connaissaient la Science initiatique : ils ont illustré le triangle du feu qui est
celui de l'évolution. Le lion, l'agneau et le loup
(le Bélier), et l'enfant, c'est-à-dire l'homme (le
Sagittaire), représentent l'enseignement nouveau, le monde nouveau qui vient.

IX

LA PIERRE PHILOSOPHALE : LE SOLEIL, LA LUNE ET MERCURE

Les alchimistes enseignent dans leurs traités que, pour obtenir la pierre philosophale, symbolisée par Mercure, l'adepte doit commencer le travail au moment où le Soleil entre dans la constellation du Bélier et la Lune dans celle du Taureau, parce que le Soleil est exalté en Bélier et la Lune exaltée en Taureau. Le signe suivant, les Gémeaux, est le domicile de Mercure. Donc, le Bélier (le Soleil), le Taureau (la Lune) et les Gémeaux (Mercure), ces trois signes se suivent pour montrer que l'union du Soleil ☉ et de la Lune ☽ donne l'enfant : Mercure ☿. Le symbole de Mercure est ainsi formé par le disque solaire et le croissant de la lune réunis par le signe + qui est celui de la terre mais aussi celui de l'addition en arithmétique. Pour les alchimistes ce symbole représente aussi les quatre éléments : deux éléments masculins et deux éléments féminins. La

Lune ☽ représente l'eau, le Soleil ☉ le feu, + la Terre, et Mercure lui-même représente l'air.

Le Soleil et la Lune donnent donc naissance à l'enfant, Mercure, la pierre philosophale. Mais la pierre philosophale que cherchent les alchimistes est en réalité un symbole de la transformation de l'homme. Quand les alchimistes disent qu'ils travaillent avec le Soleil et la Lune, ils sous-entendent les deux principes masculin et féminin de la volonté et de l'imagination, et grâce à ce travail, ils parviennent à transmuter leur propre matière et à devenir, symboliquement, comme le Soleil et la Lune, c'est-à-dire rayonnants (le Soleil) et purs (la Lune). Et ce n'est pas un hasard si le Bélier est le domicile de Mars, et le Taureau le domicile de Vénus, car c'est en travaillant avec le Soleil et la Lune pour sublimer la force sexuelle (Vénus) et la force dynamique et active de la volonté (Mars), que l'alchimiste obtient tous les pouvoirs spirituels symbolisés par Mercure, l'agent magique.

Chez les Templiers, l'agent magique était représenté par le Baphomet, cette figure à l'apparence monstrueuse qui a fait croire à certains que les Templiers rendaient un culte au Diable. D'autres ont appelé cet agent magique «Azot», mot formé de la première lettre des trois alphabets latin (A), grec (Alpha), et hébraïque (Aleph), et de la dernière lettre de ces trois alphabets : Z (latin), O (grec), T (hébraïque). Ce mot signifiait que l'agent magique était l'alpha et l'oméga, le commencement et la fin.

Pour obtenir cet agent magique les alchimistes se sont donné beaucoup de mal, et souvent sans succès, parce qu'ils ne savaient pas que ce travail avec le soleil et la lune ne doit pas se faire seulement dans le plan physique, mais dans le plan spirituel avec les deux principes de la volonté et de l'imagination, travail que l'on peut aussi symboliser par l'expression : «prendre le taureau par les cornes». Prendre le taureau par les cornes c'est, pour le disciple, commencer un travail intérieur afin de maîtriser les instincts en lui. Malheureusement, à notre époque, les humains ne prennent pas le taureau par les cornes mais lui donnent la liberté de tout piétiner. Chez la jeunesse, en particulier, vous allez voir tout ce que le taureau va saccager !

Prendre le taureau par les cornes représente le travail de la volonté sur l'imagination. L'imagination est toujours liée à la sensualité. Tous ceux qui ont une imagination débridée ont tendance à être paresseux et sensuels : la Lune et Vénus vont toujours ensemble. Mais si, par sa lumière, le Soleil intervient pour donner une bonne direction à cette force, la Lune devient d'une extraordinaire utilité, parce qu'elle a le pouvoir de concrétiser les choses. Je vous ai par-

lé des différentes périodes par lesquelles est passée la terre : période de Saturne, période du
Soleil, période de la Lune, et je vous ai expliqué
que la période du Soleil a été une période de
dilatation, d'expansion, alors que la période de
la Lune, au contraire, a été marquée par un processus de coagulation, de concrétisation. Car le
Soleil et la Lune sont aussi les symboles des deux
processus alchimiques «solve» et «coagula» :
dissoudre et coaguler.

Dans le symbole de Mercure, le Soleil est
donc représenté par un cercle, et la Lune par
une portion de cercle, comme une côte du
Soleil, ce qui explique pourquoi il est dit dans la
Genèse que Dieu a tiré Eve d'une côte d'Adam.
Et c'est donc pour montrer que cette combinai-
son, cette fusion intelligente des deux principes
produisait Mercure, que les Initiés ont représenté Mercure par le Soleil surmonté de la Lune,
réunis par le signe + qui est aussi, nous l'avons
vu, le symbole de la Terre. A lui seul, ce symbole de Mercure témoigne de la science profonde
des Initiés. Une de ses nombreuses variantes est
le caducée d'Hermès, constitué par une baguette
entourée de deux serpents, qui est resté le symbole des médecins et des pharmaciens.

De nos jours ce symbole du caducée apparaît dans les découvertes scientifiques sous la forme du laser. Qu'est-ce que le laser ? Sous sa forme la plus simple, c'est un cristal de rubis synthétique en forme de cylindre dont les extrémités présentent l'une une surface réfléchissante, l'autre une surface semi-réfléchissante. Ce cristal est entouré par le tube d'un flash vert qui excite les atomes de chrome contenus dans le rubis (c'est ce que l'on appelle le pompage optique). Lorsque l'intensité de pompage du flash est suffisante, il y a émission par l'extrémité semi-réfléchissante d'un faisceau de lumière extrêmement intense.

Le faisceau lumineux qui apparaît n'est autre que Mercure qui naît du travail des deux principes. Mais la question maintenant, c'est de trouver le laser en soi-même, parce que c'est là que ce sera vraiment prodigieux !

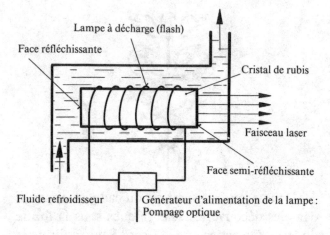

Principe du laser à rubis

En réalité, depuis la plus haute antiquité, les
Initiés ont réalisé dans leur vie psychique et spirituelle toutes les découvertes qui sont faites
actuellement par la science officielle : la radio, le
téléphone, la télévision, la fission de l'atome...
Les scientifiques ne sont que des ouvriers qui
doivent mettre en application dans le plan physique des lois qui existent dans le monde spirituel. Tout doit être réalisé un jour dans la matière ; c'est pourquoi les inventeurs sont souvent
d'anciens Initiés, des alchimistes, des mages, des
kabbalistes, qui reviennent réaliser dans la
matière tout ce qu'ils ont déjà connu et réalisé
dans le plan spirituel. Si ces phénomènes n'exis-
taient pas déjà dans le plan spirituel, il n'y aurait

aucun moyen de découvrir quoi que ce soit dans le plan physique. Car tout ce qui est en bas est comme ce qui est en haut ; donc, tout ce qui est en haut dans le monde de l'esprit doit être concrétisé en bas dans le monde de la matière.

En créant le symbole de Mercure, les Initiés ont voulu enseigner aux humains à travailler sur la force sexuelle par la volonté et l'imagination pour obtenir les pouvoirs magiques. Car la véritable «force forte de toutes les forces» dont parle Hermès Trismégiste, c'est l'amour. Seul l'amour donne la vie, et il n'y a rien au-dessus de la vie, c'est elle qui est à l'origine de tout. Dieu nous a donné cette force de l'amour pour que nous apprenions à la sublimer en vie, en vie intense, afin d'obtenir les pouvoirs magiques, la toute-puissance. Le symbole de Mercure ☿ est fait du Soleil ☉, de la Lune ☽ et de la Terre +, mais si on enlève la Lune, on a le symbole de Vénus ♀, l'amour. Tous ces aspects contenus dans le signe de Mercure se retrouvent dans les fonctions du dieu Hermès dont la baguette magique, le caducée, était le symbole des pouvoirs qu'il possédait dans tous les domaines.

Dans le signe de Mercure, la Lune, qui représente l'imagination, est là comme un récipient plein d'eau ; en effet, la Lune, principe féminin, est liée à l'eau. Au-dessous se trouve le Soleil, le feu, qui chauffe l'imagination dans une direction

spéciale. Et encore au-dessous, la Terre, symbole de la réalisation dans le plan matériel. Celui
qui arrive à comprendre ce symbole en plénitude devient tout-puissant, et si on lui en donne les
conditions, il est capable de bouleverser la terre
entière, parce qu'il a compris l'essentiel : le travail par la volonté sur l'imagination. De même
que la femme a la possibilité de condenser la vie
dans son sein, la Lune possède le pouvoir de
concrétiser, de matérialiser les choses, de les
transformer en terre, c'est-à-dire de les réaliser
dans le plan physique.

Le disciple doit se décider à terrasser le taureau, c'est-à-dire à maîtriser cette force sauvage,
brutale, violente, de la sensualité, afin d'en puiser les forces. Terrasser le taureau, cela ne veut
pas dire le tuer ; si on le tue, on ne peut plus puiser de forces. Il faut prendre le taureau par les
cornes, c'est-à-dire commencer à maîtriser la
Lune, l'imagination, qui est inséparable de la
sensualité, sauf justement chez ceux qui ont pris
leur taureau par les cornes, comme tous les vrais
créateurs : savants, philosophes, artistes, Initiés
qui donnent une autre direction à leur imagination. Tous ceux qui n'ont pas réussi à prendre le
taureau par les cornes, laissent galoper partout
leur imagination qui devient alors comme une
prostituée. Il faut s'efforcer de donner à l'imagi-

nation un travail déterminé pour qu'elle puisse toujours produire les créations les plus belles, les plus lumineuses, les plus nobles. Un disciple ne doit pas laisser sa «femme», son imagination, se balader et coucher avec n'importe qui, pour mettre au monde des gargouilles, des monstres; il garde sa femme pour lui.

Retenez de ces quelques mots que vous devez apprendre à travailler avec la Lune, l'imagination, mais en la maintenant dans la pureté (d'ailleurs, la Lune, dans son véritable sens spirituel, est liée à la pureté de l'imagination), avec la lumière, le feu du Soleil, avec l'amour désintéressé de Vénus, et enfin avec la justice de la croix, la Terre, pour obtenir la réalisation parfaite. Mercure est le symbole de l'être parfait chez qui la circulation des deux courants se fait dans un tel équilibre, une telle harmonie, qu'il nage dans la paix, et devient un centre rayonnant capable d'entraîner les créatures vers le bien.

Lorsque la Lune n'est pas stimulée par Mars et le Soleil, elle pousse les humains à la paresse, à trouver des machines, des appareils qui les dispensent de faire des efforts. Le symbole de Mercure nous enseigne, au contraire, que l'activité, les efforts sont absolument indispensables. Il n'est pas mauvais d'avoir des appareils et des machines, mais à condition seulement qu'ils libèrent l'homme des tâches matérielles pour lui permettre une activité nouvelle, spirituelle, un travail gigantesque par la volonté et l'imagination, afin de créer des œuvres divines. Malheureusement, pour le moment, ce n'est pas dans ce but que les hommes travaillent : ils veulent éliminer le Soleil et Mars, c'est-à-dire l'activité, l'effort qui sont essentiels, et rester seulement avec la Lune et Vénus. Ils ne savent pas que c'est le meilleur moyen pour dégénérer.

La Lune est accessible à n'importe quelle influence, elle ne choisit pas ; n'importe qui, n'importe quoi peut se manifester à travers elle ; elle est comme l'eau qui prend la forme du récipient dans lequel on la verse. L'eau, la Lune, l'imagination, c'est à peu près la même chose. Si le Soleil ne s'occupe pas de la Lune, de l'imagination, elle peut même refléter l'Enfer. C'est pourquoi les Initiés veillent à ce que la Lune, c'est-à-dire leur imagination, leur «femme», ne vagabonde pas n'importe où, mais que, grâce au Soleil, elle reçoive un élément de lumière et d'éternité. A ce moment-là, oui, la Lune devient une femme extraordinaire, adorable, et d'autres lois, divines, interviennent pour réaliser dans le plan matériel ce qui se forme dans l'imagination. C'est ce que symbolise la croix placée à la base du signe de Mercure. La croix, c'est la pierre

cubique qui est l'expression de la Terre*. Pour
les alchimistes, la croix, la pierre cubique, c'était
la terre vierge grâce à laquelle ils pouvaient
commencer à construire l'édifice.

Le travail avec le Soleil et la Lune, la volonté
et l'imagination, qui est celui des Initiés, reste
valable pour l'éternité, parce que la volonté
– comme expression de la pensée – et l'imagination sont deux principes fondamentaux en
l'homme. C'est pourquoi, dans les livres d'alchimie, on retrouve souvent ces images : le Soleil et
la Lune, le roi et la reine... Sous toutes les formes, il n'y a que cela : le Soleil et la Lune,
l'homme et la femme qui produisent un enfant
royal, la pierre philosophale, l'élixir de la vie
immortelle, la panacée universelle, la baguette
magique, le caducée d'Hermès...
La mission de l'homme est de réaliser le Ciel
sur la terre, de ressembler à son Père Céleste, le
Créateur. Mais pour réaliser la splendeur de
cette mission lointaine, il doit connaître les fac-
teurs indispensables à ce travail : les deux princi-

* Sur le symbolisme de la croix, voir «Le langage des figures géométriques», (chapitre VI, n° 218 de la collection
Izvor).

pes actif et passif, émissif et réceptif, masculin et
féminin, le Soleil et la Lune, la volonté et l'imagination, pour infuser à la Lune tout ce que le
Soleil contient de noble et de lumineux, car c'est
alors qu'elle pourra refléter et propager les qualités du Soleil.

Chaque jour le disciple doit se fixer sur les
projets les plus nobles, les plus grandioses, pour
pouvoir les réaliser sur la terre. Donc, tout
d'abord, il travaille avec l'imagination; puis
avec le cœur et la volonté, il fait que ce qu'il a
imaginé devienne une réalité. Il ne se contente
pas de rêver, de flotter, en se sentant fier d'avoir
de belles idées dans la tête, car cela ne suffit pas;
ses idées, il doit les concrétiser par des actes dans
le plan physique, afin que le monde entier puisse
voir que ce qu'il a créé en haut est descendu et a
enfoncé ses racines dans la terre.

Que notre esprit travaille sur notre âme ou la
volonté sur l'imagination, que le Soleil fertilise
la Lune ou que l'homme fertilise la femme, le
résultat sera toujours la création d'un enfant. Et
qu'est-ce que l'enfant? Quand vous mettez le feu
(le Soleil) sous une casserole remplie d'eau (la
Lune), l'eau se transforme en vapeur, et cette
vapeur est une force fantastique. La force forte
de toutes les forces, c'est cette vapeur, cette eau
chauffée, dilatée. Donc, de ce travail de la
volonté sur l'imagination, de l'esprit sur l'âme,

du Soleil sur la Lune, de l'homme sur la femme, naît une force qui est l'enfant, Mercure, qui a la possibilité d'entreprendre des réalisations formidables. Le Soleil ou la Lune séparément ne peuvent pas réaliser grand-chose. Séparés l'un de l'autre, le feu brûle et l'eau inonde ; mais les deux réunis produisent une force capable de toutes les réalisations : la pierre philosophale qui a le pouvoir de transformer tous les métaux en or. De cette force il est dit dans la Table d'Emeraude : «Le soleil est son père, la lune est sa mère, le vent l'a portée dans son ventre (le ventre de la lune) et la terre est sa nourrice». La terre, c'est-à-dire la croix, la pierre cubique.

Le disciple doit penser au travail qu'il a à faire avec sa volonté sur son imagination, et ce travail concerne les femmes aussi bien que les hommes. C'est dans le plan spirituel que le disciple doit fertiliser sa propre femme, et avoir des enfants, des milliers d'enfants angéliques qui s'en vont dans l'espace travailler comme il le leur demande. Vous savez comment finissent les contes : «Ils vécurent heureux et ils eurent beaucoup d'enfants...» Mais avoir beaucoup d'enfants ne concerne pas seulement le plan physique. Qu'est-ce qu'un Initié ? C'est un père de famille qui a beaucoup d'enfants qui marchent auprès de lui, tirent sur ses vêtements, fouillent dans ses poches, mais ces enfants ont un tel amour pour lui qu'il n'est jamais importuné. Quand il en a besoin, il appelle ses enfants et leur dit : «Toi, tu vas aller chez tel et tel apporter des cadeaux... Toi, tu vas aller un peu tirer les oreilles à celui-là...» et ils le font. Ce sont ses enfants tirés de sa propre chair, de son propre sang. Tandis qu'un homme ordinaire est un solitaire sans enfants : il est triste et malheureux parce qu'il doit travailler tout seul, personne ne lui donne un coup de main. Voilà un domaine inconnu pour certains, mais connu et vécu pour d'autres.

Avant de descendre sur la terre, l'homme a déjà travaillé sur son corps physique, ce corps physique qui n'est rien d'autre que le caducée d'Hermès, avec les courants qui descendent des hémisphères droit et gauche du cerveau et se croisent au niveau des organes. L'être humain est le produit du travail de la volonté et de l'imagination, de l'esprit et de l'âme matérialisés dans le plan physique. En tant que caducée d'Hermès, il peut créer dans les trois mondes. Pour le moment il ne crée que dans le plan physique, mais il doit apprendre à créer dans les autres mondes.

Le caducée d'Hermès est la force forte de toutes les forces, la vie dans son degré supérieur de manifestation. Donc, quand l'homme arrive à développer en lui les puissances du caducée d'Hermès, la vie circule et se diffuse partout dans les créatures jusqu'aux étoiles. Ce degré supérieur de la vie, c'est cela la vraie force, cette vie qui jaillit et qui est bien plus que la vitalité, cette vitalité, justement, qui est le «taureau» qu'il faut prendre par les cornes... Tous les hommes ont la vie, bien entendu, mais chez la plupart d'entre eux elle se manifeste comme vitalité, une force qui ravage. Cette vitalité doit être dirigée, intensifiée, spiritualisée pour être transformée en vie divine.

C'est pourquoi, souhaitez jour et nuit de spiritualiser votre vie pour pouvoir la donner, afin qu'elle aille partout dans l'univers vivifier et éclairer les créatures. C'est cette idée qui est contenue dans l'image que les anciens donnaient d'Hermès, avec des ailes aux pieds.

La vie sublime, c'est cela le caducée d'Hermès. Quand vous rayonnez cette vie, vous avez des forces formidables. Si votre vie ne va pas plus loin que quelques centimètres au-delà de votre corps, vous êtes faible, vous ne pouvez pas agir. Mais si votre rayonnement s'étend à des kilomètres autour de vous, vous pouvez agir sur les créatures. Donc, plus ce qui émane de vous est intense et se répand au loin, plus vous avez des pouvoirs.

Il faut que vous compreniez l'importance de ce travail. Laissez de côté beaucoup d'autres

occupations inutiles qui ne vous apportent rien,
sauf des souffrances, et travaillez sur vous-même
jusqu'à ce que la force forte de toutes les forces
commence à se manifester à travers vous.

X

LES 12 TRIBUS D'ISRAËL
ET LES 12 TRAVAUX D'HERCULE
EN RELATION AVEC LE ZODIAQUE

Les douze signes du zodiaque ont inspiré de nombreux récits symboliques dans les mythologies et les religions. Parmi les plus connus, on trouve l'histoire des douze fils de Jacob qui sont à l'origine des douze tribus d'Israël, et les douze travaux d'Hercule. Bien sûr, pour voir la correspondance entre ces récits et le zodiaque, il faut posséder la science des symboles ; dès qu'on la possède, tout devient clair, évident.

Nous commencerons par lire le chapitre 49 de la Genèse :

«Jacob appela ses fils et dit : Assemblez-vous
Et je vous annoncerai ce qui arrivera dans la suite des temps.
Rassemblez-vous et écoutez, fils de Jacob !
Ecoutez Israël, votre père !

Ruben, toi, mon premier-né,
Ma force et les prémices de ma vigueur ;
Supérieur en dignité et supérieur en puissance,

Impétueux comme les eaux, tu n'auras pas la
prééminence !
Car tu es monté sur la couche de ton père,
Tu as souillé ma couche en y montant.

Siméon et Lévi sont frères ;
Leurs glaives sont des instruments de violence.
Que mon âme n'entre point dans leur conci-
liabule,
Que mon esprit ne s'unisse point à leur
assemblée !
Car, dans leur colère, ils ont tué des hommes,
Et, dans leur méchanceté, ils ont coupé les
jarrets des taureaux.
Maudite soit leur colère, car elle est violente,
Et leur fureur, car elle est cruelle !
Je les séparerai dans Jacob,
Et je les disperserai dans Israël.

Juda, tu recevras les hommages de tes frères ;
Ta main sera sur la nuque de tes ennemis.
Les fils de ton père se prosterneront devant toi.
Juda est un jeune lion.
Tu reviens du carnage, mon fils !
Il ploie les genoux, il se couche comme un lion.
Comme une lionne : qui le fera lever ?
Le sceptre ne s'éloignera point de Juda,
Ni le bâton souverain d'entre ses pieds,
Jusqu'à ce que vienne le Schilo,

Et que les peuples lui obéissent.
Il attache à la vigne son âne,
Et au meilleur cep le petit de son ânesse ;
Il lave dans le vin son vêtement,
Et dans le sang des raisins son manteau.
Il a les yeux rouges de vin,
Et les dents blanches de lait.

Zabulon habitera sur la côte des mers,
Il sera sur la côte des navires,
Et sa limite s'étendra du côté de Sidon.

Issacar est un âne robuste,
Qui se couche dans les étables.
Il voit que le lieu où il repose est agréable,
Et que la contrée est magnifique ;
Et il courbe son épaule sous le fardeau,
Il s'assujettit à un tribut.

Dan jugera son peuple,
Comme l'une des tribus d'Israël.
Dan sera un serpent sur le chemin,
Une vipère sur le sentier,
Mordant les talons du cheval,
Pour que le cavalier tombe à la renverse.
J'espère en ton secours, ô Eternel !

Gad sera assailli par des bandes armées,
Mais il les assaillira et les poursuivra.

Aser produit une nourriture excellente ;
Il fournira les mets délicats des rois.

Nephtali est une biche en liberté ;
Il profère de belles paroles.

Joseph est le rejeton d'un arbre fertile,
Le rejeton d'un arbre fertile près d'une source ;
Les branches s'élèvent au-dessus de la muraille.
Ils l'ont provoqué, ils ont lancé des traits ;
Les archers l'ont poursuivi de leur haine.
Mais son arc est demeuré ferme,
Et ses mains ont été fortifiées
Par les mains du Puissant de Jacob :
Il est ainsi devenu le berger, le rocher d'Israël.
C'est l'œuvre du Dieu de ton père qui t'aidera ;
C'est l'œuvre du Tout-Puissant qui te bénira
Des bénédictions des cieux en haut,
Des bénédictions des eaux en bas,
Des bénédictions des mamelles et du sein
maternel.
Les bénédictions de ton père s'élèvent
Au-dessus des bénédictions de mes pères
Jusqu'à la cime des collines éternelles :
Qu'elles soient sur la tête de Joseph,
Sur le sommet de la tête du prince de ses frères !

Benjamin est un loup qui déchire ;
Le matin, il dévore la proie,
Le soir, il partage le butin.

Ce sont là tous ceux qui forment les douze tribus d'Israël. Et c'est là ce que leur dit leur père, en les bénissant. Il les bénit, chacun selon sa bénédiction.»

En lisant ce chapitre de la Genèse, vous constatez que Jacob s'est adressé de façon très différente à chacun de ses fils. En approfondissant les paroles qu'il a prononcées pour chacun, ses prophéties et ses bénédictions, on est étonné de constater combien les douze fils de Jacob présentent de correspondances avec les douze signes du zodiaque. C'est ce que nous allons étudier.

Ruben est désigné par Jacob comme «supérieur en dignité et en puissance». Il est impétueux comme les eaux, mais ce n'est pas lui qui aura la prééminence parce qu'il a souillé la couche de son père en y montant. Peut-être pensez-vous que cette description de Ruben, l'aîné, correspond au Bélier qui est le premier signe du zodiaque d'après les astrologues modernes, et qui se caractérise aussi par l'impulsivité. Non, le Bélier n'est pas comme les eaux, et justement, cette comparaison avec les eaux montre qu'il s'agit du Verseau dont le symbole ≈ a la forme des vagues. D'autre part, ce signe est dominé par Saturne, mais surtout par Uranus qui représente l'audace, le besoin de s'opposer aux conven-

tions, de bouleverser les normes établies, ce
qu'explique le fait qu'il soit monté sur la couche
de son père. Mais, dans son aspect supérieur,
Uranus apporte des innovations dans la vie collective, universelle.

Le deuxième et troisième fils de Jacob,
Siméon et *Lévi*, sont nommés ensemble. Jacob
dit d'eux : «Que mon esprit ne s'unisse point à
leur assemblée, car dans leur colère, ils ont tué
des hommes... Je les séparerai dans Jacob, et je
les disperserai en Israël». Ce sont presque des
paroles de malédictions que prononce Jacob.
Siméon et Lévi ont tué des hommes sous prétexte de venger l'honneur de leur sœur, Dinah. En
effet, Sichem, prince du pays, avait enlevé
Dinah, fille de Jacob, mais il avait ensuite
demandé à son père de la lui donner en mariage,
et Jacob avait accepté. Mais Siméon et Lévi,
sous prétexte de venger l'outrage fait à leur sœur,
tuèrent Sichem par traîtrise ainsi que son père
Hamor et tous les hommes de leur ville, puis ils
s'emparèrent de leurs troupeaux et de toutes
leurs richesses. Jacob fut très mécontent de ce
crime. Ces deux frères si prompts à agir par la
ruse, à tuer, à voler, ce sont les Gémeaux ♊
représentés dans la mythologie grecque par Castor et Pollux, dont la légende d'ailleurs raconte
qu'ils ont aussi délivré leur sœur, Hélène, enle-
vée par Thésée. La constellation des Gémeaux

est liée aux poumons, aux bras et aux mains, et elle est dominée par Mercure, le dieu à l'esprit prompt et ingénieux, toujours prêt à agir, et même à agir malhonnêtement et sans scrupule.

De son quatrième fils, *Juda*, Jacob dit qu'il est comme un jeune lion et la description qu'il donne de lui («Ta main sera sur la nuque de tes ennemis... Tu reviens du carnage, mon fils») ainsi que les images du sceptre et du bâton souverain correspondent exactement au signe du Lion ♌ qui est celui de l'autorité, de l'expansion, de la royauté : «Tu recevras les hommages de tes frères... Les fils de ton père se prosterneront devant toi». Juda restera souverain jusqu'à la venue du Schilo auquel les peuples obéiront. Schilo est un des noms du Messie.

Tout ce qui est dit de *Zabulon*, le cinquième fils de Jacob, concerne la mer : «Zabulon habitera sur la côte des mers, il sera sur la côte des navires, et sa limite s'étendra du côté de Sidon» (qui est un port de la côte phénicienne, l'actuel Liban). Zabulon correspond au signe du Cancer ♋ qui est un signe d'eau. Le Cancer est représenté par le crabe, qui vit tout près des côtes. Ce signe régit l'estomac ; il prend donc la nourriture pour en extraire tout ce qui est nécessaire à la conservation de la vie.

De son sixième fils, *Issacar*, Jacob dit qu'il est un âne robuste qui se couche dans les étables.

Vous pensez sans doute qu'il n'y a pas d'âne dans le zodiaque... Oui, mais il ne faut pas toujours prendre les textes bibliques dans leur sens littéral. Les qualités qui sont attribuées ici à Issacar sont aussi celles du bœuf ou du taureau : la résistance, la patience, la ténacité, l'amour du travail et même du travail pénible. Issacar représente donc le signe du Taureau ♉ qui est un signe de terre, en liaison avec le plein épanouissement des forces du printemps (du 21 avril au 21 mai), les prairies, les champs, les vergers, la terre fertile, ce qui est aussi indiqué dans les paroles de Jacob : «Il voit que le lieu où il repose est agréable et la contrée est magnifique.» Le Taureau est sous la domination de Vénus, mais Vénus sous son aspect primitif, instinctif, prolifique.

De son septième fils, *Dan*, Jacob dit qu'il jugera son peuple, mais aussi qu'il sera comme un serpent sur le chemin. Ce sont là deux traits presque opposés car un juge est en général considéré comme un homme droit, équitable, et cette comparaison avec une vipère est surprenante. Mais ces traits contradictoires se retrouvent dans la Balance ♎. La Balance, avec ses deux plateaux, est un symbole de l'équilibre, du bon jugement, de la justice, de la conciliation ; son influence donne des magistrats, des hommes de loi, des avocats, et également des artistes : peintres, sculpteurs, musiciens, etc... Vénus domine dans la Balance, mais Saturne y est en exaltation, et s'il est mal aspecté, l'équilibre se rompt, le signe bascule vers le Scorpion, qui est le signe suivant, et c'est alors que se manifeste le serpent.

Gad, dit Jacob, sera assailli par des bandes armées, mais il les assaillira et les poursuivra à son tour. Gad représente le signe du Scorpion ♏ qui est la huitième maison astrologique ; il est dominé par Mars, la planète de la violence, de la guerre, ainsi que par Uranus et Pluton. Le Scorpion est le signe le plus mystérieux du zodiaque, il représente le côté souterrain de la vie, le subconscient, la force sexuelle, la fermentation, la putréfaction, la mort, tout ce qui se fomente dans le secret : les révoltes, les bouleversements, les complots, l'espionnage. Mais pour ceux qui font un travail spirituel afin de sublimer et d'utiliser les forces instinctives pour le bien, le Scorpion devient l'Aigle au regard perçant qui vole vers le Soleil. Le Scorpion est le signe des grands pouvoirs magnétiques et magiques. Et parmi les quatre Animaux saints qui, vous le savez, sont aussi figurés par les quatre Evangélistes, c'est saint Jean qui représente l'Aigle, le Scorpion divinisé.

De son neuvième fils, *Aser*, Jacob dit qu'il produit une nourriture excellente et fournit les mets délicats des rois. Aser correspond au signe

de la Vierge ♍ qui est représentée par une jeune
femme portant des épis de blé. La Vierge représente la sixième maison astrologique, la maison
de la santé, de l'hygiène, de l'alimentation.

Nephtali, le dixième fils, est comparé à une
biche en liberté et il profère de belles paroles.
Comme pour l'âne dont nous avons parlé tout à
l'heure à propos d'Issacar, on ne doit pas prendre le terme de «biche» au sens littéral. La biche
qui s'élance fait aussi penser à la chèvre, et
Nephtali correspond au signe du Capricorne ♑.
Saturne qui règne dans le Capricorne est ordonné, méthodique, économe, il entraîne l'esprit
vers les hauts sommets où il acquiert l'autorité,
la maîtrise par le travail, la persévérance et la
ténacité. Le soleil traverse le signe du Capricorne entre le 21 décembre et le 21 janvier; il entre
donc dans le Capricorne au moment de Noël et
les belles paroles qu'il profère sont celles des
pasteurs, des prêtres et des parents pendant les
fêtes, mais surtout celles de l'ange aux bergers :
«Rassurez-vous, car voici que je vous annonce
une grande joie, qui sera celle de tout le peuple :
aujourd'hui dans la cité de David, un sauveur
vous est né, qui est le Christ Seigneur. Et ceci
vous servira de signe : vous trouverez un nou-
veau-né enveloppé de langes et couché dans une
crèche... Gloire à Dieu au plus haut des cieux, et
paix sur la terre aux hommes de bonne volon-

té.» Durant cette période les nuits sont les plus longues et les jours les plus courts, mais pourtant le Capricorne porte l'espoir du renouveau et du printemps.

A *Joseph*, Jacob s'adresse très longuement, mais nous ne nous arrêterons que sur les deux traits principaux qui caractérisent les bénédictions qu'il prononce pour son fils. C'est d'abord l'idée d'élévation, de hauteur : «Joseph est le rejeton d'un arbre fertile... Ses branches s'élèvent au-dessus de la muraille... Les bénédictions de ton père s'élèvent au-dessus des bénédictions de mes pères, jusqu'à la cime des collines éternelles. Qu'elles soient sur la tête de Joseph, sur le sommet de la tête du prince de ses frères.» Ensuite, c'est l'image de l'arc et des flèches : «Ils ont lancé des traits... Les archers l'ont poursuivi de leur haine, mais son arc est resté ferme.» Joseph correspond au signe du Sagittaire ♐ qui représente un homme portant un arc et des flèches. Le Sagittaire est la neuvième maison astrologique, celle de l'élévation spirituelle symbolisée par le Centaure, créature moitié homme, moitié cheval qui galope en tirant à l'arc. Le Centaure représente l'effort que nous devons faire pour libérer notre nature supérieure (l'homme) de notre nature inférieure, animale (le cheval), et nous élancer vers les régions célestes, élan indiqué par la flèche. Le Sagittaire est le

signe des grandes luttes spirituelles, de celles qui
font d'un homme un Initié. C'est pourquoi il est
dit que Joseph a été poursuivi, mais que son arc
est resté ferme et ses mains fortifiées par les
mains du Puissant de Jacob.

Le Sagittaire est dominé par Jupiter dont les
qualités de droiture, de noblesse et de générosité
accentuent encore le caractère spirituel. Vous
connaissez l'histoire de Joseph. Ses frères, qui
étaient très jaloux de lui parce qu'il était le pré-
féré de leur père et qu'ils le sentaient supérieur,
le vendirent comme esclave. Emmené en Egyp-
te, Joseph, par ses qualités, s'attira l'estime et la
confiance du Pharaon qui finit par lui donner le
gouvernement de son pays... Mais auparavant il
lui arriva toutes sortes de mésaventures. La plus
connue est celle qu'il eut avec la femme de son
premier maître Putifar qui devint amoureuse de
lui ; comme il ne voulait pas lui céder, elle
l'accusa devant son mari d'avoir voulu la violer
et Joseph fut jeté en prison... Des années après,
lorsque Joseph, devenu puissant, retrouva ses
frères, non seulement il leur pardonna, mais il se
montra envers eux d'une grande générosité.
Cette faculté de pardonner et cette générosité
sont des qualités de Jupiter, ainsi que la facilité
pour réussir. Les personnes nées sous l'influence
de Jupiter, surtout si cette planète se trouve en
première maison, sont toujours les premières

parmi leurs frères et sœurs, les bien-aimées de leurs parents, et souvent aussi, elles bénéficient de grands avantages dans la société.

Le Sagittaire nous l'avons vu est le troisième signe du triangle de feu formé par les signes du Bélier, du Lion et du Sagittaire. Au Bélier correspond la tête (la pensée), au Lion correspond le cœur (le sentiment), et au Sagittaire correspondent les cuisses, c'est-à-dire l'exécution, la réalisation de la pensée et du sentiment. Le Sagittaire exécute : il réalise la sagesse qui est dans la tête et l'amour qui est dans le cœur.

Benjamin est présenté comme un loup, et le loup, ici, correspond à la constellation du Bélier. En apparence, il y a contradiction entre le bélier et le loup ; oui, ce n'est justement qu'une apparence. Le Bélier est dominé par Mars, et ce premier signe du triangle de feu que nous avons étudié, quand il n'est pas maîtrisé, est un signe d'agressivité, de violence et de destruction. Mais s'il est sublimé, ce feu de la violence peut devenir le feu du sacrifice : le Bélier n'est plus le loup destructeur mais l'Agneau immolé au commencement du monde et qui représente le Christ. D'ailleurs, cette idée est même exprimée par Jacob quand il dit : «Le matin il dévore la proie, et le soir, il partage le butin.» Bien sûr, on peut comprendre ces mots littéralement : le matin, le guerrier détruit ses ennemis, et le soir, il partage le butin qu'il a rapporté du combat. Mais le matin et le soir représentent le commencement et la fin d'une journée, et une journée, cela peut être toute une période de l'évolution, comme les sept jours de la création. Comprises de cette façon, les paroles de Jacob signifient qu'au cours de l'évolution, la constellation du Bélier deviendra la constellation de l'Agneau, c'est-à-dire de l'amour, du sacrifice qui non seulement ne détruit plus les hommes mais donne sa vie pour eux.

Vous avez sans doute remarqué que puisque la constellation des Gémaux est représentée par Siméon et Lévi, les douze fils de Jacob ne peuvent représenter que 11 signes du zodiaque et que nous n'avons pas encore étudié le signe des Poissons. Pour trouver les Poissons nous lirons dans la Genèse le chapitre précédent (chapitre 48, versets 8 à 20) où Jacob donne sa bénédiction aux fils de Joseph : Ephraïm et Manassé.

«Israël* regarda les fils de Joseph et dit : «Qui sont ceux-ci?» Joseph répondit à son père : «Ce sont mes fils que Dieu m'a donnés ici.» Israël dit : «Fais-les, je te prie, approcher de moi pour que je les bénisse»...

* Autre nom de Jacob.

Israël étendit sa main droite et la posa sur la tête d'Ephraïm qui était le plus jeune, et il posa sa main gauche sur la tête de Manassé : ce fut avec intention qu'il posa ses mains ainsi, car Manassé était le premier-né. Il bénit Joseph et dit : «Que Dieu en présence duquel ont marché mes pères Abraham et Isaac, que le Dieu qui m'a conduit depuis que j'existe jusqu'à ce jour, que l'ange qui m'a délivré de tout mal, bénisse ces enfants ! Qu'ils soient appelés de mon nom et du nom de mes pères Abraham et Isaac, et qu'ils multiplient en abondance au milieu du pays !»

Joseph vit avec déplaisir que son père posait sa main droite sur la tête d'Ephraïm ; il saisit la main de son père pour la détourner de dessus la tête d'Ephraïm, et la diriger sur celle de Manassé. Et Joseph dit à son père : «Pas ainsi, mon père, car celui-ci est le premier-né ; pose ta main droite sur sa tête.» Son père refusa et dit : «Je le sais, mon fils, je le sais ; lui aussi deviendra un peuple, lui aussi sera grand ; mais son frère cadet sera plus grand que lui, et sa postérité deviendra une multitude de nations.» Il les bénit ce jour-là, et dit : «C'est par toi qu'Israël bénira, en disant : Que Dieu le traite comme Ephraïm et Manassé ! Et il mit Ephraïm avant Manassé.»

D'après ce texte, nous pouvons voir que Jacob a béni les fils de Joseph exactement comme il a béni ensuite ses propres fils. Ephraïm et Manassé correspondent au signe des Poissons ♓. La bénédiction de Jacob : «Qu'ils multiplient en abondance au milieu du pays» et plus loin «lui aussi deviendra un peuple ; mais son frère cadet sera plus grand que lui et sa postérité deviendra une multitude de nations», insiste sur l'aspect de fécondité du signe des Poissons où règne Jupiter et où Vénus est en exaltation. La constellation des Poissons symbolise l'océan cosmique d'où sont sortis tous les mondes. La création commence avec la constellation des Poissons : la vie sort de la mer et traverse successivement tous les autres signes pour revenir aux Poissons. Pour tout ce qui existe, se produit ce retour aux Poissons, le retour au chaos, d'où sortiront chaque fois des mondes nouveaux.

Puisque le Sagittaire (Joseph) et les Poissons (Ephraïm et Manassé) sont dominés par Jupiter, les deux fils de Joseph marchent d'après la même ligne que leur père. Mais le père et ses deux fils ne sont pas pareillement influencés par Jupiter. Le Sagittaire manifeste surtout l'ambition, l'autorité, la domination de Jupiter, alors que les Poissons manifestent sa bonté, sa douceur, qui peuvent aller jusqu'à l'abnégation, au renoncement et au sacrifice.

Le zodiaque a inspiré à presque tous les peuples des mythes et des récits légendaires qui reflètent les caractéristiques propres à chacun des douze signes. Dans la mythologie grecque, ce sont les douze travaux d'Hercule.

Vous connaissez l'histoire d'Hercule (en grec, Héraklès). Il était le fils de Zeus et de la femme d'Amphitryon, général thébain, Alcmène que Zeus avait séduite en prenant les traits de son mari. Quand Héraklès naquit, Héra, l'épouse de Zeus, toujours irritée de ses infidélités, voulut faire mourir l'enfant et lui envoya deux serpents pour l'étouffer dans son berceau ; mais ce fut l'enfant qui étouffa les serpents. Devenu adolescent, Héraklès reçut une éducation remarquable, et il avait déjà accompli plusieurs exploits quand il épousa Mégara, la fille du roi de Thèbes dont il eut plusieurs enfants. Or un jour, frappé subitement de folie, il tua ses enfants et leur mère. Accablé de remords, il alla à Delphes consulter l'oracle d'Apollon pour demander comment il devait expier son crime. Apollon lui ordonna d'aller se mettre pendant douze ans au service du roi Eurysthée, et c'est Eurysthée qui le soumit à des épreuves que l'on a appelées les douze travaux d'Hercule.

Successivement Hercule :
1- étouffa le lion de Némée,
2- tua l'hydre de Lerne,
3- captura vivant le sanglier d'Erymanthe,

4- vainquit à la course la biche aux pieds d'airain,

5- abattit à coups de flèches les oiseaux du lac Stymphale,

6- dompta le taureau de l'île de Crète envoyé par Poséidon contre le roi Minos,

7- tua Diomède, roi de Thrace, qui nourrissait ses chevaux de chair humaine,

8- vainquit les Amazones,

9- nettoya les écuries d'Augias en y faisant passer les eaux des fleuves Alphée et Pénée,

10- combattit et tua le géant Géryon auquel il déroba ses troupeaux de bœufs,

11- enleva les pommes d'or du jardin des Hespérides,

12- délivra Thésée des Enfers.

Maintenant, reprenons ces travaux l'un après l'autre pour voir à quels signes du zodiaque ils correspondent.

1. Le lion de Némée : on devine immédiatement qu'il s'agit du signe du Lion.

2. L'hydre de Lerne : c'était un dragon à 7 têtes qui empoisonnait la région de Lerne par son haleine pestilentielle. Hercule essaya de couper ses têtes avec une faucille d'or, mais elles ne cessaient de repousser au fur et à mesure qu'il les coupait ; il fallait les couper toutes ensemble.

Enfin, son serviteur Iolaos vint à son aide : il mit le feu à la forêt et avec des branches enflammées, à chaque tête qu'Hercule réussissait à couper, il brûlait la plaie pour empêcher la tête de repousser. L'hydre de Lerne correspond au signe du Scorpion. Le Scorpion est le symbole de la force sexuelle à laquelle repousse sans cesse une tête, une nouvelle vigueur. Seul, le feu divin peut triompher d'elle. On ne peut anéantir l'amour sexuel, mais on doit le transformer en amour divin ; c'est ainsi que certains êtres toujours tourmentés par la force sexuelle sont devenus les hommes les plus sublimes dans le sacrifice : parce qu'ils ont su transformer cette force. Quant à ceux qui luttent stupidement contre elle, ils s'épuisent dans cette lutte sans jamais pouvoir triompher d'elle ; ils s'aigrissent, deviennent refoulés, méchants, et sont la proie de toutes sortes de troubles.

3. Le sanglier d'Erymanthe : comme le loup dans le passage que nous avons vu tout à l'heure : «Benjamin est un loup qui déchire», le sanglier représente la force brute de Mars et il correspond au signe du Bélier. Dans la mythologie grecque il existe d'ailleurs une légende d'après laquelle Mars se serait métamorphosé en sanglier pour blesser Adonis dont il voulait se venger.

4. La biche aux pieds d'airain : vous vous

souvenez qu'à propos de Nephtali, Jacob avait dit : «C'est une biche en liberté.» Ici aussi la biche a la même signification que la chèvre et elle correspond au signe du Capricorne.

5. Les oiseaux du lac Stymphale : la légende dit que c'étaient des vautours. Hercule tua ces oiseaux avec des flèches, ce qui correspond évidemment au signe du Sagittaire toujours représenté en train de tirer à l'arc.

6. Le taureau de l'île de Crète : comme pour le lion de Némée, là aussi il est très clair que cet exploit se rapporte au signe du Taureau.

7. Diomède : cet exploit correspond à la constellation des Gémeaux. Evidemment, les relations sont ici plus difficiles à découvrir, mais elles existent tout de même. La légende raconte que Diomède nourrissait ses chevaux de la chair des voyageurs qui s'égaraient dans son royaume. Pour le punir Hercule s'empara de lui et le fit, à son tour, dévorer par ses chevaux. Mais quelle relation peut-il exister entre l'histoire de Diomède et la constellation des Gémeaux ? D'abord les chevaux : Castor et Pollux, les Gémeaux, sont le plus souvent représentés à cheval. De plus, quand nous avons énuméré les fils de Jacob, nous avons vu qu'à propos de Siméon et Lévi, qui symbolisaient les Gémeaux, Jacob dit : «Ils ont tué des hommes.» Diomède aussi tuait des hommes. Maintenant, si nous étudions qui est

Mercure, nous voyons que, comme nous l'avons déjà remarqué pour Siméon et Lévi, la planète Mercure qui domine dans les Gémeaux pousse à l'action, ou même à l'exécution d'un vol ou d'un meurtre, et que dans la mythologie grecque, le dieu Mercure était le dieu des voyageurs. De même, c'étaient des étrangers égarés que Diomède donnait à manger à ses chevaux. Enfin, pour aller encore plus loin dans le symbole, Mercure représente l'intellect, et l'intellect est une faculté qui détruit. Oui, par son intellect, l'homme détruit : il analyse, il critique, il dissèque, mais à la fin, à force de détruire tout ce qui est autour de lui, il en arrive à se détruire lui-même. C'est exactement ce qui s'est passé pour Diomède : il donnait à ses chevaux des hommes à dévorer, mais à la fin c'est lui-même qui a été dévoré par ses chevaux.

8. Les Amazones : c'était un peuple de guerrières qui combattaient à cheval en tirant à l'arc. Elles formaient un peuple de femmes sans hommes, et elles représentaient ainsi un certain aspect du signe de la Vierge.

9. Les écuries d'Augias : Augias était un prince qui possédait d'innombrables troupeaux dont il n'avait jamais fait nettoyer les écuries. Pour les nettoyer, Hercule détourna deux fleuves, l'Alphée et le Pénée. Ce travail est lié au signe du Verseau dont les eaux spirituelles vien-

nent purifier le subconscient de l'homme, les
«écuries».

10. Le géant Géryon : c'était une sorte de
monstre dont les énormes flancs se ramifiaient
en trois corps. Il habitait une île où il possédait
un troupeau de bœufs. Cette épreuve correspond
à la constellation du Cancer. Nous avons vu tout
à l'heure à propos du cinquième fils de Jacob,
Zabulon, qu'il était évoqué par des images de
mers et de côtes. Ici, la mer est représentée par
l'île. Géryon possède aussi des bœufs ; or, la
Lune règne dans le Cancer, et dans certaines tra-
ditions on représentait le char de la Lune tiré par
des bœufs. Mais ce qui est surtout intéressant à
propos de Géryon, ce sont ses trois corps. Je
vous ai déjà expliqué que l'homme est constitué
des trois principes : intellect, cœur et volonté qui
existent en lui au niveau inférieur de la personnalité et au niveau supérieur de l'individualité.
Dans la symbolique traditionnelle, la personnalité est représentée par la lune et l'individualité
par le soleil. Les trois corps de Géryon correspondent donc au plan physique, au plan astral et
au plan mental qui constituent la personnalité.

11. Les pommes d'or du jardin des Hespérides : cette épreuve correspond au signe de la
Balance que le soleil traverse durant la période
du 21 septembre au 21 octobre. C'est le début de
l'automne, l'époque où l'on cueille les derniers

fruits. Vous savez que ce signe est dominé par Vénus qui règne sur les jardins, les fleurs, la beauté. D'autre part, le nom de la planète Vénus, en grec, est Hespéros : l'étoile du matin.

12. Thésée délivré des Enfers : comme je vous l'ai dit tout à l'heure la constellation des Poissons représente le chaos universel, le tohu-bohu primitif d'où sont sortis tous les êtres, c'est donc le monde de l'indifférentiation, de l'inconscient, des ténèbres, les Enfers d'où Hercule a arraché Thésée pour le ramener à la lumière, à la conscience.

Outre ces douze travaux, Hercule a accompli bien d'autres exploits, mais nous les laisserons de côté aujourd'hui parce qu'ils ne sont pas en rapport avec les signes du zodiaque.

Pour récapituler, faisons rapidement un tableau des correspondances qui existent entre les signes du zodiaque, les fils de Jacob et les travaux d'Hercule.

♈	Bélier	Benjamin	le sanglier d'Erymanthe
♉	Taureau	Issacar	le taureau de l'île de Crète
♊	Gémeaux	Siméon et Lévi	le roi Diomède
♋	Cancer	Zabulon	le géant Géryon
♌	Lion	Juda	le lion de Némée
♍	Vierge	Aser	les Amazones
♎	Balance	Dan	les pommes d'or du jardin des Hespérides

♏ Scorpion	Gad	l'hydre de Lerne
♐ Sagittaire	Joseph	les oiseaux du lac Stymphale
♑ Capricorne	Nephtali	la biche aux pieds d'airain
♒ Verseau	Ruben	les écuries d'Augias
♓ Poissons	Ephraïm et Manassé	Thésée délivré des Enfers

On peut interpréter les douze travaux d'Hercule comme une représentation du passage du soleil dans les différents signes du zodiaque, chaque signe étant considéré comme une étape de la lente transformation de la nature tout au long de l'année.

Lorsque le soleil entre dans le Bélier, c'est le début du printemps, le jaillissement des forces de la nature, l'éclatement des bourgeons. Cet élan se poursuit dans le Taureau et les Gémeaux avec l'apparition des feuilles et des fleurs. Avec le Cancer commence l'été : la graine se forme, puis le fruit mûrit (Lion), et une fois qu'il est mûr, on fait la récolte (Vierge). Puis, c'est l'automne (Balance, Scorpion et Sagittaire) : on cueille les derniers fruits, les feuilles tombent, la végétation meurt et se décompose. Enfin vient l'hiver (Capricorne, Verseau et Poissons) : la graine est enfouie dans le sol où elle meurt et s'assimile à la terre ; mais c'est de cette mort que naissent les nouvelles semences pour de nouveaux jaillissements et de nouvelles floraisons.

Donc, dans chaque signe le soleil accomplit des travaux déterminés.

Ce travail du soleil sur la végétation peut être interprété, du point de vue alchimique, comme la transformation de la matière du Grand Œuvre qui, comme la graine, cuit, se putréfie, ressuscite, etc... Mais le travail alchimique, ce n'est pas seulement transformer la matière du Grand Œuvre. Pour le disciple le véritable travail alchimique, c'est de développer les semences enfouies en lui-même, exactement comme les forces de la nature font pousser les germes enfouis dans le sol, et justement, chaque signe du zodiaque possède un aspect positif et un aspect négatif. Le disciple doit, comme Hercule, lutter contre chacun des aspects négatifs et au contraire développer en lui les aspects positifs.

Il doit lutter contre le loup et le sanglier de Mars (la sauvagerie, la cruauté), et nourrir en lui le désir de faire des sacrifices nécessaires à la germination.

Il doit vaincre la matérialité et la sensualité du Taureau et acquérir sa patience, sa ténacité et sa force.

Il doit lutter contre les tendances nocives des Gémeaux, l'intellect prompt à tromper, à critiquer, à calomnier, mais être toujours prêt à exécuter les prescriptions de l'amour et de la sagesse.

Il doit maîtriser l'émotivité, l'imagination crépusculaire et désordonnée du Cancer, favorisée par la Lune, mais devenir sensible aux courants spirituels, avoir le désir d'élaborer sa vie et de purifier toutes les forces qui lui sont données.

Il doit vaincre la fierté orgueilleuse et l'ostentation du Lion, mais développer sa noblesse, sa grandeur, sa droiture.

Il doit vaincre l'étroitesse d'esprit, la sécheresse et l'avarice de la Vierge, mais apprendre sa pureté, son goût de l'ordre et de la méthode.

Il doit vaincre la paresse et l'indécision de la Balance, et développer son besoin d'harmonie et de beauté.

Il doit triompher de la jalousie et des passions sexuelles du Scorpion et être toujours prêt à mourir à tout ce qui est inférieur, comme l'enseignait Jésus quand il disait : « Si vous ne mourez pas, vous ne vivrez pas. »

Il doit lutter contre l'instinct de révolte et l'instabilité du Sagittaire, mais être capable de s'élever constamment jusqu'à Dieu, d'avoir une pensée puissante et de défendre la citadelle des Initiés, des enfants de Dieu. Le Sagittaire est le défenseur, il est monté sur les remparts où il veille, l'arc tendu, pour protéger le Royaume de Dieu, la Fraternité Blanche Universelle.

Il doit vaincre l'orgueil, la dureté et l'intransigeance du Capricorne pour atteindre, par la méditation et la contemplation, les plus hautes cimes des montagnes spirituelles.

Il doit vaincre l'individualisme, le besoin de scandale et de révolte du Verseau pour se fondre dans l'immense communauté de la fraternité universelle, dans la vie cosmique.

Il doit échapper aux brumes et aux prisons intérieures des Poissons, mais apprendre l'abnégation, le renoncement et le sacrifice.

Ainsi le travail du disciple consiste à traverser tous les signes, à lutter en lui-même contre ces ennemis que sont les sangliers, les loups, les lions, les taureaux, les oiseaux, les chèvres, les scorpions, etc... Lorsque ces travaux sont achevés et qu'il a acquis les douze vertus, comme Hercule il devient un demi-dieu. A travers les mythes et les religions de tous les peuples, on retrouve des traces de l'Initiation, le même langage, la même sagesse : seules les formes varient. Partout on apprend à l'homme comment il peut devenir un être supérieur, un héros, une divinité.

Nous devons faire sans cesse des efforts pour nous perfectionner. Et même si nous ne réussissons pas, nous serons au moins justifiés devant le Ciel. Jamais le Ciel ne nous accusera de ne pas avoir pu réussir; ce sont les efforts qui comptent, et ils dépendent de nous. Lorsque le Ciel verra que nous ne cessons de faire des efforts, la décision sera prise en haut de nous donner tout ce que nous demandons, et la joie, la lumière, la beauté et la liberté se déverseront sur nous. Ces cadeaux seront choisis d'après celui qui les aura demandés, en tenant compte de son caractère, de sa structure, de ses affinités, du travail qu'il aura accompli et de ce qui est nécessaire à son évolution. Pareil à un poisson, chacun tirera ces cadeaux de l'océan cosmique et en extraira les éléments susceptibles de former sa peau, sa parure, son intelligence.

On pourrait s'étendre plus longuement sur ce sujet, étudier aussi les correspondances qui existent entre les douze signes du zodiaque et les douze pierres précieuses qui formaient les fondements de la Nouvelle Jérusalem, ainsi que les douze apôtres. Pour aujourd'hui contentez-vous de ces quelques révélations : pour votre travail spirituel, elles vous apportent déjà d'immenses possibilités.

TABLE DES MATIÈRES

Editeur-Distributeur

Editions PROSVETA S.A. – B.P. 12 – 83601 Fréjus Cedex (France)

Distributeurs

ALLEMAGNE
URANIA – Rudolf-Diesel-Ring 26
D-8029 Sauerlach

AUTRICHE
MANDALA
Verlagsauslieferung für Esoterik
A-6094 Axams, Innsbruckstraße 7

BELGIQUE
PROSVETA BENELUX
Van Putlei 105 B-2548 Lint
N.V. MAKLU Somersstraat 13-15
B-2000 Antwerpen
VANDER S.A.
Av. des Volontaires 321
B-1150 Bruxelles

CANADA
PROSVETA Inc.
1565 Montée Masson
Duvernay est, Laval, Que. H7E 4P2

ESPAGNE
ASOCIACIÓN PROSVETA
Caspe 41
E-08010 Barcelona

ETATS-UNIS
PROSVETA U.S.A.
P.O. Box 49614
Los Angeles, California 90049

GRANDE-BRETAGNE
PROSVETA Ldt
The Doves Nest
Duddleswell Uckfield,
East Sussex TN 22 3JJ
Trade orders to :
ELEMENT Books Ltd
Unit 25 Longmead Shaftesbury
Dorset SP7 8PL

HONG KONG
HELIOS
J. Ryan
P.O. BOX 8503
General Post Office, Hong Kong

IRLANDE
PROSVETA IRL.
84 Irishtown – Clonmel

ITALIE
PROSVETA Coop. a.r.l.
Cas. post. 13046 – 20130 Milano

LUXEMBOURG
PROSVETA BENELUX
Van Putlei 105 B-2548 Lint

NORVÈGE
PROSVETA NORGE
Postboks 5101
1501 Moss

PAYS-BAS
STICHTING
PROSVETA NEDERLAND
Zeestraat 50
2042 LC Zandvoort

PORTUGAL
PUBLICAÇÕES
EUROPA-AMERICA Ltd
Est Lisboa-Sintra KM 14
2726 Mem Martins Codex

SUISSE
PROSVETA
Société Coopérative
CH - 1808 Les Monts-de-Corsier

Dépôt légal : Août 1988 – N° d'impression : 1633 – Imprimé en France
Imprimerie Prosveta, Z.I. du Capitou B.P. 12
83601 Fréjus Cedex